L'Alban Y0-BDQ-548

Cette exposition, présentée au musée du Louvre, salle de la Chapelle, aile Sully,
du 20 septembre 2000 au 8 janvier 2001,
a été organisée par le département des Peintures.
Sa présentation a été conçue par Christophe Clément et réalisée,
sous sa direction, par le Service des Travaux muséographiques du musée du Louvre.

Commissaire de l'exposition :
Stéphane Loire, conservateur au département des Peintures

Le catalogue a été établi par Stéphane Loire.
Le texte « L'Albane et la France » a été rédigé par Catherine R. Puglisi,
professeur d'histoire de l'art à la Rutgers University
(The State University of New Jersey).

Le texte de Catherine R. Puglisi a été traduit de l'anglais par Dennis Collins.

En couverture :
La Toilette de Vénus (détail)
Paris, musée du Louvre
(cat. 13)

I.S.B.N. : 2-7118-4103-0
© Editions de la Réunion des musées nationaux, 2000
49, rue Etienne-Marcel, Paris

58 *Exposition-dossier*
du département
des Peintures

L'Albane

1578-1660

Les dossiers
du musée du Louvre

Stéphane Loire
Conservateur au département des Peintures

Réunion
des Musées
Nationaux

Que tous ceux qui ont permis par leur généreux concours la réalisation
de cette exposition soient ici remerciés. En premier lieu, les responsables des collections suivantes :

Besançon	Musée des Beaux-Arts et d'Archéologie
Caen	Musée des Beaux-Arts
Clamecy	Musée municipal
Dijon	Musée des Beaux-Arts
Dole	Musée municipal
Dunkerque	Musée des Beaux-Arts
Fontainebleau	Musée national du Château
Grenoble	Musée des Beaux-Arts
Lyon	Musée des Beaux-Arts
Montpellier	Musée Fabre
Paris	Musée du Louvre,
	Département des Objets d'art
	Département des Sculptures
	Palais du Luxembourg, Présidence du Sénat
Quimper	Musée des Beaux-Arts

Jean-Pierre Cuzin, conservateur général chargé du département des Peintures,
et Pierre Rosenberg, président-directeur du musée du Louvre, ont accepté que cet hommage
à l'Albane soit présenté dans le cadre des Dossiers du département des Peintures.
Le projet de cette exposition sur l'Albane a bénéficié d'emblée, et à toutes ses étapes,
du soutien enthousiaste de Catherine R. Puglisi, la spécialiste de l'artiste, qui a bien voulu
accompagner ce catalogue d'une introduction.
Trois des tableaux présentés ont pu être restaurés à l'occasion de l'exposition
par Laurence Callegari (cat. 20), Yves Lutet et Véronique Stedman (cat. 23),
Nathalie Pincas et Jean-Pascal Viala (cat. 31).
Que soient enfin tout particulièrement remerciés Philippe Bernier, Silvia Danesi Squarzina,
Annie Desvachez, Jacques Foucart, Aline François, Anne Gautier, Corinna Giudici,
Soraya Karkache, Gilbert Lacour, Véronique Leconte, Jean Lepage, Philippe Malgouyres,
Philippe-Alain Michaud, Marielle Pic, Eric Persyn, Laurence Posselle, Myriam Prot,
Guillaume Rosier, Mathieu Texier, et bien sûr Judith Kagan.

SOMMAIRE

Francesco Albani, que l'on nomme en français, non sans quelque coquetterie, l'Albane (1578-1660), a perdu la faveur du grand public, des amateurs, des collectionneurs et même des conservateurs, non seulement parmi nos compatriotes qui l'ont tant aimé de son vivant et pour plus de trois siècles, mais également hors de nos frontières. Au point que récemment encore, on ne savait plus bien reconnaître ses œuvres. Ainsi a-t-on vu un grand musée d'outre-Atlantique, soucieux de posséder une toile d'un artiste dont il ne mésestimait pas l'importance et la place dans l'histoire de la peinture bolonaise, acquérir un Albane qui revenait en vérité à l'un de ses nombreux adeptes et admirateurs français, Michel Corneille (1642-1708).

La réhabilitation de l'œuvre de l'Albane est en bonne voie. Catherine Puglisi s'y emploie depuis bientôt vingt ans avec constance, avec acharnement, avec tendresse. Stéphane Loire, dont on admire les travaux de première main sur les collections bolonaises du Louvre, a voulu que puissent être examinées avec objectivité les œuvres de l'artiste conservées dans les collections nationales et dans quelques musées de province, que grands financiers et amateurs avertis se disputaient à prix d'or au XVIIe siècle et dont la France, par bonheur, conserve un nombre important. Retrouveront-elles la faveur dont elles jouirent pendant si longtemps ? Même en ce temps où la grâce, l'agréable, l'aimable ne sont pas à la mode, l'Albane a toute sa chance.

Pierre Rosenberg
de l'Académie française
Président-directeur du musée du Louvre

Louis XIV possédait, achetés ou hérités, des Raphaël, des Poussin, des Caravage, bien d'autres tableaux des artistes les plus illustres, que les souverains d'Europe lui enviaient et qui comptent aujourd'hui parmi les pièces célèbres du Louvre ; il possédait aussi un ensemble considérable, constitué avec méthode, d'œuvres d'un peintre considéré alors parmi les plus grands créateurs « modernes », et en tout cas mis au même rang que ses contemporains bolonais, les Carrache, Guido Reni, Dominiquin ou Guerchin. Ce peintre, Francesco Albani, devenu chez nous l'Albane, est à présent mieux connu, notamment grâce aux travaux de Catherine Puglisi. Il nous a semblé que c'était le bon moment de présenter cet ensemble resté sans rival, même en Italie, de rassembler les Albane de Louis XIV, dont certains ont été déposés dans d'autres musées français, et d'y ajouter les œuvres entrées postérieurement dans la collection. C'est ce bilan que nous présente Stéphane Loire, après le catalogue raisonné des tableaux bolonais du *Seicento* du Louvre qu'il a publié en 1996.

L'Albane, adulé jadis, méprisé ensuite, n'est pas facile à goûter de nos jours. Son art si doux nous paraît confiner à la mièvrerie, et nous ne savons plus voir ce qu'il y a de délicatesse, parfois de véritable lyrisme, dans ses peintures d'exécution précieuse : l'Albane, c'est vrai, est un peintre de tableaux de cabinet qui paraissent tout à l'opposé de l'Italie que nous admirons, celle des fresques et des grands retables, celle de Caravage et de Pierre de Cortone, celle de l'austérité, de la violence et de la dramaturgie. L'art de l'Albane doit être décrypté, ses sujets doivent souvent être analysés comme des poèmes. Ce plaisir raffiné était celui des amateurs français d'il y a trois siècles, et les figures enfantines du maître bolonais, celles aussi du monde du Dominiquin, celui de la *Chasse de Diane* de la galerie Borghèse, avaient alors une influence considérable sur nos peintres : pensons à Mignard ou aux Boulogne.

Les tableaux de l'Albane sont les premiers numérotés dans notre catalogue INV. : regardons-les à nouveau, ne serait-ce qu'en raison de l'amour que nos prédécesseurs lui vouèrent, et n'ayons pas peur de les apprécier, nous aussi.

Jean-Pierre Cuzin
Conservateur général,
chargé du département des Peintures

Andrea Sacchi,
Portrait de l'Albane
1635
Madrid, musée du Prado.

L'Albane, aujourd'hui

« Depuis longtemps on dédaigne l'Albane et ses contemporains, qui plaisaient tant à Stendhal et à Goethe. L'Albane est cependant un peintre délicieux, et qui mérite autant l'admiration, sinon plus, que certains primitifs obscurs dont le charme réside souvent dans l'agréable délabrement de leurs couleurs et de leurs ors passés. Il faut souhaiter qu'un jour prochain revienne où l'on remettra à sa place ce peintre à la fois si savant et si tendre, qui composait, avec l'art le plus gracieux, des paysages «faits à souhait pour le plaisir des yeux[1] ».

Réclamée dès 1913, la réhabilitation de l'Albane est-elle bien nécessaire ? La traduction en français du patronyme d'un peintre italien au XVIIe siècle est toujours le signe d'une grande faveur critique et l'œuvre de Francesco Albani (1578-1660) n'échappe pas à cette règle. De son vivant même, ses tableaux furent très admirés en France, tant pour leurs contenus savants que pour leur style raffiné, et c'est essentiellement à Louis XIV que le Louvre et les autres musées français doivent de conserver un exceptionnel ensemble de ses œuvres dont les plus significatives sont rassemblées ici. Les collectionneurs se disputaient ses tableaux, les théoriciens en louaient les qualités picturales, et les artistes s'en inspirèrent, au point que l'on peut mettre en évidence une influence durable de ses créations en France jusqu'à la fin du XVIIIe siècle.

Avant tout apprécié pour ses œuvres de petit format – des paysages sereins baignés par une lumière limpide, où de petites figures peintes dans une facture porcelainée évoluent à l'ombre d'arbres se détachant sur des panoramas lointains –, l'Albane eut en France une renommée considérable : cette exposition, la première qui lui ait jamais été dévolue, s'efforce d'en rendre compte.

1. Vaudoyer, 1913, p. 360.

11

Aussi longtemps que ses tableaux purent être appréciés pour leurs contenus poétiques, qui valurent à leur auteur d'être très tôt comparé à des poètes – Anacréon, Horace, Théocrite, ou encore l'Arioste –, l'Albane, «peintre le plus aimable, et l'un des plus savants qui eussent existé[2]», inspira une admiration profonde. A partir du moment où l'on négligea le contenu de ses sujets mythologiques, où ses œuvres de dévotion parurent insignifiantes, et où les qualités picturales qui leur avaient jusque-là été reconnues devinrent leurs pires défauts, la position éminente qu'il avait occupée cessa d'être justifiée : dans une histoire de la peinture italienne rédigée à la fin du XIXe siècle, on pouvait passer «sans regret sur des peintres tels que l'Albane [...] Il n'y a là qu'affectation, lécherie et pure fadeur[3].» Même au Louvre, lieu où se trouvent conservés le plus grand nombre de ses tableaux, l'idée de lui consacrer une exposition aurait encore fait sourire il n'y a pas si longtemps, tant le peintre paraissait indigne d'un tel honneur.

Dès lors que ses œuvres ont été sérieusement étudiées ou restaurées, que le renouveau des études sur la peinture du Seicento a contribué à lui rendre une place éminente dans la tradition du paysage classique aux côtés du Dominiquin, de Claude ou de Poussin, elles méritaient de revenir en bonne place dans l'accrochage permanent des peintures italiennes. En tirant avant tout parti des ressources de ses collections, c'est une des fortunes du Louvre que de pouvoir présenter de manière satisfaisante l'œuvre de l'un des peintres les plus attachants de son époque : «Annibal Carrache a plus d'accent que lui, Guerchin plus de mystère, Dominiquin plus de force et de vérité, le Guide plus de sentimentalité, mais l'Albane est le seul de son temps à mettre dans ses toiles un peu de cette volupté heureuse qui unit et confond la beauté naturelle et la beauté allégorique[4].»

S. L.

2. Landon, 1805, p. 4.
3. Alexandre, 1895, p. 743.
4. Vaudoyer, 1913, p. 360.

L'Albane et la France

Catherine R. Puglisi

A partir de la fin du XVIIᵉ siècle et pendant la plus grande partie du XVIIIᵉ siècle, le goût pour l'art de l'Albane s'est épanoui en France plus que partout ailleurs, à l'exception de Bologne, la ville natale du peintre. La présence en France de nombreux tableaux du peintre est d'ailleurs à l'origine de la présente exposition. La fortune critique de l'Albane en France n'a cependant pas toujours été constante et à l'admiration précoce pour son œuvre a succédé à partir du XIXᵉ siècle une longue période de défaveur et d'oubli. Ce n'est que très récemment que le public français a eu de nouveau la possibilité d'apprécier son art dans des conditions favorables, et qu'a pu ainsi s'ouvrir un nouveau chapitre de l'histoire du goût français pour l'Albane. Auparavant, un accueil exceptionnel, plus enthousiaste encore que celui dont avaient bénéficié les cousins Carrache ou d'autres peintres bolonais, avait été réservé en France à l'Albane par les amateurs de peinture qui réunissaient de grandes collections. Se poursuivant jusqu'au XVIIIᵉ siècle, cette réception favorable s'était prolongée en outre chez les artistes ou les artisans français, peintres, graveurs, sculpteurs ou créateurs d'objets d'art. Pendant près de deux siècles, la version adoucie de l'idéal classique qu'il proposait séduisit davantage que le « grand style » noble et grandiose des autres peintres bolonais et bénéficia d'un incontestable succès critique.

L'introduction de l'œuvre de l'Albane en France se fit de son vivant, dès 1625, à l'occasion de la légation du cardinal Francesco Barberini à la cour de Marie de Médicis. Conformément aux usages, des tableaux figuraient parmi les cadeaux qu'exigeait le protocole diplomatique, et le cardinal offrit à la reine mère une « Vierge avec une gloire d'anges » de l'Albane. A présent disparue, cette œuvre était somptueusement encadrée et elle était accompagnée d'un tableau de dévotion du Dominiquin[1]. Avec ces petits tableaux raffinés de deux célèbres peintres italiens, on avait manifestement cherché à flatter le goût notoire de Marie de Médicis pour la peinture. Ce cadeau ne provoqua aucune commande directe de la Couronne de France à l'Albane mais il ouvrit la voie à de nombreuses acquisitions ultérieures de ses œuvres pour la collection royale. Les petites dimensions, le thème religieux comme l'allusion à une « gloire d'anges » laissent penser que l'œuvre perdue se rattachait aux sujets qui en vinrent à définir l'Albane dans les collections françaises. Dans *L'Annonciation* (cat. 7) peinte vers 1620, par exemple, il a représenté l'événement comme une rencontre intime entre Marie et Gabriel, deux protagonistes tous deux jeunes et beaux, sous le doux regard de putti curieux.

Le plus ancien contact direct connu entre l'Albane et les amateurs français date également de 1625. Au mois d'août de cette année, Jacques Le Veneur, comte de Carrouges, se rendit en effet à Bologne pour être le parrain du deuxième fils de l'Albane. Attaché à la cour avec le titre honorifique de « Gentilhomme ordinaire du roi », Le Veneur, issu d'une vieille famille normande, était le frère cadet de Tanneguy Le Veneur, « conseiller du roi »[2]. Le comte s'entretint probablement avec l'Albane de la commande d'un cycle de sujets mythologiques sur des grandes plaques de cuivre représentant « les divinités du Ciel, de la Terre, de la Mer, et des Enfers », selon la description qu'en donne Carlo Cesare Malvasia, le biographe du peintre. L'Albane ne satisfit que partiellement à sa requête puisqu'il n'exécuta pas le quatrième tableau, soit parce que la sensibilité esthétique de Le Veneur était trop délicate pour tolérer une scène d'« horreurs infernales », soit parce que, si l'on en croit les détracteurs du peintre, le comte estimait trop faibles les nus masculins du peintre, qui auraient été en évidence dans une telle scène[3]. Les trois cuivres achevés furent exposés à côté des autres tableaux bolonais de Le Veneur jusqu'à sa mort en 1653, avant qu'André Le Nôtre, le jardinier du roi, n'en acquière deux : *Apollon et Mercure* (cat. 17) et *Cybèle et les Saisons* (cat. 18), une paire comprise dans le don qu'il fit à Louis XIV en 1693. Le troisième tableau, un *Neptune et Amphitrite* *(fig. 32)*, suivit un autre parcours, passant entre les mains d'autres éminents collectionneurs français dont Pierre Crozat, Randon de Boisset et Lucien Bonaparte, jusqu'à sa récente réapparition. Le triptyque de Le Veneur caractérise bien un autre aspect de l'œuvre de l'Albane : les paysages idylliques que les collectionneurs et critiques français finirent par connaître et admirer le plus. La combi-

---

1. Schnapper, 1994, p. 132.
2. *Ibid.*, p. 181-182.
3. Malvasia, 1678 (1841), II, p. 162 (« *quattro Deità, le Celesti, le Terrestri, le Marittime, e le Infernali* »), 165 et 176.

naison d'un sujet poétique inspiré de la mythologie et de l'allégorie classiques, et de paysages idéaux évoquant le *locus amoenus* arcadien, rattachent la commande de Carrouges aux cycles picturaux que l'Albane peignit pour d'éminents commanditaires italiens : les deux séries de *tondi* pour le cardinal Scipion Borghèse (vers 1618) et pour le cardinal Maurice de Savoie (1625-1628), et les quatre grandes toiles de l'*Histoire de Vénus* (cat. 12-15) conçues initialement pour Ferdinand Gonzague, duc de Mantoue, et acquises par Louis XIV bien après la mort du peintre.

A l'instar de Le Veneur, d'autres Français se rendirent dans l'atelier de l'Albane à Bologne. Charles Coiffier, baron d'Orvilliers, qui fut secrétaire du roi, commanda directement au peintre trois tableaux et alla prendre lui-même livraison de deux d'entre eux en janvier 1654. Coiffier aurait été ravi de trouver l'Albane en vie et en bonne santé à l'âge avancé de soixante-seize ans, alors qu'une rumeur circulant à Paris deux ans auparavant le donnait pour mort. Le mois suivant, en février 1654, Coiffier et ses compagnons, ou d'autres amateurs français, avaient projeté de rendre visite à l'Albane, qui retarda son départ pour sa villa à la campagne afin de les recevoir[4]. Ces invités étaient peut-être le peintre Pierre Mignard et son ami, le peintre et théoricien Charles-Alphonse Dufresnoy. A la fin de 1653, Mignard avait rejoint Dufresnoy à Venise pour un long voyage en Italie du Nord et, au cours des mois suivants, les deux hommes firent halte à Bologne pour rendre visite à l'Albane ainsi qu'au Guerchin. L'Albane se prit d'amitié pour Mignard et le persuada de rester chez lui pendant six semaines[5]. Malgré ces visites rapprochées au cours des années 1650, la dernière décennie de la vie du peintre, d'autres documents, comme la commande du comte de Carrouges ou des mentions dans des inventaires anciens, suggèrent que l'intérêt des amateurs pour les œuvres de l'Albane était né une trentaine d'années auparavant.

Du vivant de l'Albane, le collectionneur le plus important et le plus en vue de ses œuvres fut certainement le cardinal-ministre Jules Mazarin, qui surpassa de loin ses contemporains italiens et français puisqu'il posséda jusqu'à quatorze œuvres du peintre inventoriées en 1653[6]. Etabli à Paris en 1639, Mazarin s'abandonna à une passion croissante pour la peinture en achetant des tableaux italiens par des intermédiaires de la Péninsule, comme le cardinal Alessandro Bichi qu'il chargeait de se renseigner sur d'éventuels achats dans les ateliers de Bologne. Si Bichi fut déçu en 1643 de ne pas trouver de tableaux achevés et disponibles dans l'atelier de l'Albane, il eut à

4. Sur les lettres de l'Albane au sujet de la visite de Coiffier, voir Malvasia 1678 (1841), II, p. 182-183 ; Van Schaack, 1969, p. 348 et 352.
5. Monville, 1730, p. 36 ; Laveissière, dans Boyer, 1997, p. 96.
6. Aumale, 1861.

l'évidence plus de succès à d'autres moments[7]. Il semble que Mazarin ait acquis ainsi *Le Baptême du Christ* (cat. 24) et *La Prédication de saint Jean-Baptiste* (cat. 25) qu'on peut dater vers 1640 sur des bases stylistiques, deux œuvres décrites comme des pendants dans l'inventaire de 1653 et estimées pour la somme considérable de 4 000 livres dans l'inventaire de sa succession en 1661. Outre cette paire, au moins six des autres des tableaux de l'Albane appartenant à Mazarin avaient un thème religieux. On peut identifier l'un d'eux à *La Déploration sur le corps du Christ* (cat. 3), qui date du début de la carrière du peintre et fut donc probablement acquis par l'intermédiaire d'un marchand, ou acheté à un autre collectionneur, mais non à l'artiste lui-même. Etant donné les petites dimensions de ce cuivre et son estimation élevée (1 500 livres) dans l'inventaire de 1661, *La Déploration* pourrait bien être l'une des « miniatures » que Mazarin avait réunies dans un cabinet spécial de son appartement au Louvre ; il figura du reste dans le groupe que Colbert sélectionna pour la collection royale après la mort du cardinal[8].

Connus aujourd'hui uniquement à travers les descriptions données dans les inventaires, les autres sujets religieux de Mazarin représentaient un large éventail de tableaux de chevalet de l'Albane. Il possédait ainsi une seconde version d'un *Saint Jean-Baptiste prêchant* qui, tout en étant apparenté à la toile conservée à Lyon (cat. 25), était sensiblement plus grande ; son vaste paysage avait dû séduire le cardinal qui avait un goût prononcé pour ce genre[9]. Une figure grandeur nature de la « Charité » allaitant un enfant, tandis que deux autres ramassent du blé, elle aussi de grandes dimensions, était probablement une variante de la composition du tableau aujourd'hui au Sénat (cat. 19), mais son estimation très modeste (120 livres) laisse à penser qu'il s'agissait d'une œuvre d'atelier. Mazarin collectionna aussi des tableaux de l'Albane montrant des sujets mythologiques, acquérant six originaux. Aucun d'eux n'est identifiable précisément mais leurs caractères peuvent généralement se déduire de leurs titres évoquant des thèmes familiers du répertoire de l'artiste : sans doute proche de l'une des deux versions conservées au Louvre (cat. 6 et 22), une petite *Diane et ses nymphes* sur cuivre avait pour pendant une *Vénus couchée et plusieurs Cupidons*. Une autre composition sur ce dernier thème, beaucoup plus grande, a également appartenu à Mazarin, et les descriptions des deux ont des points communs avec deux toiles aujourd'hui conservées à la Galleria Nazionale d'Arte Antica de Rome[10]. Pressentant les possibilités décoratives qu'offraient les paysages mythologiques

7. Michel, 1999, p. 109.
8. Sur le goût de Mazarin pour les miniatures, voir Michel, 1999, p. 396, 400. Pour l'acquisition de Colbert de 1665, voir *ibid.*, p. 315.
9. Michel, 1999, p. 395.
10. Puglisi, 1999, p. 200, n°s 122.i-ii.

de l'Albane, le cardinal fit orner le plafond de la Petite Galerie du palais Mazarin de deux de ses œuvres : une toile montrant une « *Vénus au naturel avecq autres figures de monstres marins* » grandeur nature, peut-être à rapprocher de la version aujourd'hui à Dresde, et une « *Flore avecq plusieurs amours dans un jardin avecq des festons* » dont la description correspond à un tableau aujourd'hui conservé à Rome[11]. Un ensemble de médaillons au plafond de la Chambre d'audience, dont on peut raisonnablement supposer qu'il s'agissait de répliques anonymes des célèbres *tondi* de l'Albane de la galerie Borghèse, contribuait encore à la splendeur baroque du palais Mazarin[12]. Nourri de son expérience des grandes collections romaines, Mazarin ne fut manifestement pas troublé par les Vénus, Diane et nymphes nues de l'Albane ; mais son prude héritier, le duc de Mazarin, s'empressa de faire ajouter des draperies aux détails offensants[13].

Mazarin n'était pas le seul en France à acheter des tableaux de l'Albane ; il se distingue toutefois par le nombre, la date précoce de ses acquisitions et la qualité manifestement très haute de sa collection, qui fut un modèle influent pour les acquisitions ultérieures par la Couronne. D'autres grands collectionneurs, un peu moins enthousiastes que le cardinal, avaient tendance à n'acheter qu'un seul exemple de choix de son art, généralement par l'intermédiaire de marchands ou auprès des propriétaires précédents. Prédécesseur et protecteur de Mazarin, le cardinal de Richelieu pourrait ainsi avoir acquis son unique tableau de l'Albane, un *Repos pendant la fuite en Egypte*, auprès du maréchal de Créquy qui l'avait probablement acheté lors de son ambassade spéciale à Rome en 1633-1634. En 1638, dans l'inventaire de la collection de Créquy, il était estimé à 300 livres, ce qui le mettait en troisième place, après Véronèse et Annibal Carrache, mais au même niveau que Guido Reni, Claude Lorrain et le Cavalier d'Arpin. Il se trouve que l'œuvre précieuse d'Annibal que possédait le maréchal était *La Nativité* (cat. 1), récemment réattribuée à l'Albane[14]. A la mort de Richelieu, le *Repos pendant la fuite en Egypte* aujourd'hui disparu passa par héritage à sa nièce, la duchesse d'Aiguillon, et, dans l'inventaire de sa succession dressé en 1675, sa valeur avait presque triplé.

Un autre des paysages religieux de l'Albane fut lui aussi estimé à un prix élevé, un *Saint Jean-Baptiste prêchant* qui figurait dans la prestigieuse collection de Louis II Phélypeaux de La Vrillière[15]. Bien que ce fût l'une des œuvres les plus fameuses de son « cabinet de tableaux », on notera l'absence d'œuvre de l'Albane dans la célèbre

11. Puglisi, 1999, p. 157, nos 71.i.V.b, 201, n° 126.V.a.
12. Voir les numéros 940 et 942 de l'inventaire de la succession de 1661, dans Michel, 1999, p. 570.
13. Michel, 1999, p. 324.
14. Boyer, 1990, p. 163-164.
15. Cotté, 1985 ; Cotté, 1988-1989.

galerie attenante. Lorsqu'il commanda les monumentales peintures historiques pour la galerie de son hôtel de la rue des Petits-Champs, La Vrillière sollicita les compatriotes bolonais de l'Albane, Guido Reni et le Guerchin, mais pas l'Albane. Ce qui montre que dès les années 1630, au moment où il réunissait les œuvres de sa galerie, La Vrillière considérait l'Albane exclusivement comme un peintre de tableaux de cabinet. Marquant la vision qu'on avait du peintre, cette attitude prévalut par la suite et devait avoir des conséquences fâcheuses. Une fois l'Albane représenté dans les grands cabinets de tableaux parisiens, d'autres collectionneurs suivirent la mode et firent croître à la fois la demande pour ses œuvres et leur prix. Dans sa biographie publiée plus de dix ans après la mort du peintre, Malvasia notait que d'innombrables petits tableaux de l'Albane étaient l'objet d'un « *cotidiano saccheggio* » de la part d'acheteurs étrangers et, surtout, d'insatiables « *dilettanti* » français qui payaient autant pour l'un de ses petits cuivres que pour une grande figure de Reni[16]. L'affirmation de Malvasia est confirmée à la fois par le théoricien français André Félibien, qui cite des œuvres de l'Albane dans « plusieurs Cabinets de Paris », dont ceux du duc de Lesdiguières, du duc de Gramont et du chevalier de Lorraine, et par les sources et inventaires du XVIIe siècle, qui confirment la présence de tableaux de chevalet de l'Albane en leur possession et dans d'autres collections contemporaines, comme celles du comte de Brienne, de Louis Hesselin et du marquis de Ménart.

A la fin du XVIIe siècle, cependant, tous ces amateurs étaient surpassés par Louis XIV qui devint le plus grand collectionneur de l'Albane en France. Au départ, seules quelques œuvres entrèrent dans la collection royale comme *La Déploration sur le corps du Christ* provenant de la succession de Mazarin (cat. 3). Un autre tableau, un *Actéon métamorphosé en cerf* aujourd'hui au musée des Beaux-Arts de Rennes, fut offert à Louis XIV quelques années plus tard ; il faisait partie du cadeau diplomatique offert à la fin de 1664 par don Camillo Pamphilj, qui avait appris que le roi « ayme la peinture ». Avec cette œuvre de l'Albane jointe à quatre autres tableaux bolonais, Pamphilj entendait vraisemblablement flatter le goût du roi. Le choix précis de ce tableau déçut cependant par sa qualité, comme le reconnut le Bernin lorsqu'il assista à l'ouverture des caisses d'emballage à Paris, en septembre 1665 ; la toile est en réalité une copie d'atelier, d'une qualité encore inférieure à celle d'une autre version de ce sujet présente dans cette exposition[17] (cat. 22).

Dans les années 1670 et 1680, la collection royale s'étoffa plus rapidement qu'auparavant et six tableaux de l'Albane, puis une dou-

---

16. Malvasia, 1678 (1841), II, p. 196-197.
17. Sur le cadeau de Pamphilj, la toile de Rennes et la critique du Bernin, voir Loire, 1996, p. 71, 258-260 et 380.

zaine d'autres furent acquis. Ce total représentait en fait le plus grand nombre d'acquisitions d'œuvres d'un seul artiste au cours des années 1680 ; certaines d'entre elles provenaient de dons mais la plupart étaient des achats. Ainsi, les ravissants paysages en pendant qui appartenaient autrefois à Mazarin (cat. 24 et 25) furent offerts au roi en 1684 par Achille III de Harlay, procureur général au Parlement, tandis que le président de Novion fit un cadeau plus modeste en 1685 (cat. 31). Certaines acquisitions de pièces de valeur, moyennant parfois des sommes très élevées, se faisaient directement auprès de quelques marchands contemporains, comme dans le cas du *Repos pendant la fuite en Egypte* idyllique qui provenait de la collection du duc de Gramont (cat. 21), et que Belluchau vendit au roi pour la somme stupéfiante de 5 000 livres en 1685. L'achat le plus important des années 1680 fut le cycle de l'*Histoire de Vénus* (cat. 12-15), acquis directement au palais Falconieri à Rome par l'intermédiaire de La Teulière, directeur de l'Académie de France à Rome. Il expédia les gravures qu'avait faites Etienne Baudet en 1672 d'après leurs compositions à Paris, où le marquis de Louvois, surintendant des Bâtiments, approuva leur acquisition pour la collection royale. Ce mode particulier d'acquisition laisse à penser que La Teulière et peut-être d'autres représentants du roi résidant en Italie avaient été invités à rechercher dans les collections locales les œuvres de peintres appréciés comme l'Albane. Le beau cadeau de sept autres de ses tableaux que Le Nôtre fit à Louis XIV en 1693 confirme son goût pour l'artiste. Ce groupe comportait plusieurs de ses chefs-d'œuvre sur cuivre : deux des paysages mythologiques du cycle de Carrouges (cat. 17 et 18) et trois autres tableaux raffinés, *Actéon métamorphosé en cerf* (cat. 6), *Apollon et Daphné* (cat. 10) et *Salmacis et Hermaphrodite* (cat. 11). En 1693, Louis XIV possédait trente-et-un tableaux de l'Albane, si bien que la collection royale était la plus riche d'Europe en œuvres de ce maître[18].

L'enthousiasme pour l'Albane de la part des collectionneurs français du XVIIe siècle favorisa peut-être l'admiration des artistes et critiques, qui était elle aussi singulièrement vive. Parmi les peintres français qui séjournèrent en Italie, on sait que certains rencontrèrent personnellement l'Albane, comme Pierre Mignard et Charles-Alphonse Dufresnoy. Cette rencontre laissa son empreinte sur les deux peintres, qui imitèrent les compositions de l'Albane, ses motifs individuels et ses types de figure. Dans ses tableaux de dévotion représentant la Vierge à l'Enfant – les célèbres « Mignardes » –, Mignard évoque la tendresse des sujets sacrés de l'Albane (voir les cat. 28 et 29), et dans ses projets décoratifs, comme ceux de la galerie de Monsieur à Saint-Cloud, il emprunta abondamment au réper-

---

18. Sur la collection et les goûts de Louis XIV, voir Brejon de Lavergnée, 1987 ; Schnapper, 1994, p. 31, 285-231 ; Loire, 1996, p. 9-12.

Fig. 1
Pierre Mignard,
Etude pour Le Printemps, vers 1677,
Paris, musée du Louvre.

toire de gracieuses déesses païennes et de putti pleins de vie de l'Albane, comme l'atteste une comparaison entre *Le Printemps* *(fig. 1)* peint par Mignard pour cette galerie et les scènes de l'*Histoire de Vénus* de l'Albane. Outre « Monsù Mignard », Malvasia disait que Poussin et Claude Lorrain comptaient également parmi les étrangers ayant une haute idée de l'Albane, qu'ils considéraient comme « *loro padre, loro capo, loro maestro* ». L'Albane lui-même fut heureux d'apprendre que Poussin avait loué son œuvre, bien qu'aucun document ne témoigne de contacts plus étroits[19]. Les historiens modernes ont néanmoins reconnu à juste titre des affinités stylistiques entre le traitement évocateur du paysage chez l'Albane et celui de Claude. Et malgré des différences significatives, il existe des parallèles entre l'œuvre de l'Albane et celle de Poussin, notamment dans leurs interprétations poétiques des mythes d'Ovide, l'emploi de putti pour adoucir les sujets sacrés et profanes et, surtout, leur attachement à l'idéal classique exprimé tant dans leurs écrits critiques que dans leur peinture. Parmi les véritables élèves de l'Albane, il faut citer Giovanni Battista Mola qui, jusqu'à une date récente, était considéré comme français, en raison de son surnom de « Mola di Francia ». S'il est désormais avéré que Mola est né en Italie de parents italiens, on sait qu'après un premier séjour précoce à Paris, il y revint ensuite à plusieurs reprises. Ses paysages lui valurent ses plus grands succès et trouvèrent leur place dans les collections françaises ; avec leurs imitations délibérées des thèmes et de la manière de l'Albane, ils renforcèrent certainement la vaste influence en France de celui-ci[20].

La génération suivante d'artistes français, qui parvinrent à leur maturité professionnelle vers la fin du XVIIe siècle et furent actifs jusqu'à la fin du règne de Louis XIV, fut fortement influencée par la peinture bolonaise, en particulier par les paysages mythologiques et allégoriques de l'Albane, si bien représentés dans la collection du roi.

Ses nus féminins, ses compositions classicisantes et sa vision d'une nature bienfaisante étaient d'excellents modèles pour l'équipe de peintres qui décorèrent le Trianon de marbre à Versailles de sujets et de paysages mythologiques et de paysages, entre 1688 et 1715 : Noël et Antoine Coypel, Charles de La Fosse, François Verdier, Louis et Bon Boullogne, et Jean Cotelle[21]. Pendant ses années en Italie, Noël Coypel avait vu des œuvres de grandes dimensions de l'Albane mais en travaillant au décor du Trianon il s'était tourné, de manière bien compréhensible, vers ses tableaux de chevalet conservés dans la collection royale. L'*Apollon et Mercure* (cat. 17) de l'Albane fut ainsi le modèle direct de Coypel pour sa représentation des dieux païens dans *L'Apothéose d'Hercule (fig. 2)*. Quant aux quatre scènes de l'*Histoire de Vénus* (cat. 12-15) de l'Albane, elles fournirent un vaste

19. Malvasia, 1678 (1841), II, p. 190 ; Puglisi, 1999, p. 64.
20. Rosenberg et Boyer, 1988-1989, p. 134-145 ; G. Michel, 1992, p. 499-507.
21. Schnapper, 1967.

Fig. 2
Noël Coypel,
L'Apothéose d'Hercule, vers 1688,
Versailles, musée national du Château,
Grand Trianon.

Fig. 3
Jean Cotelle, *L'Entrée du Labyrinthe*,
vers 1688, Versailles, musée national
du Château, Grand Trianon.

Fig. 4
Louis II de Boullogne,
Vénus, l'Hymen et des Amours, vers 1688,
Versailles, musée national du Château,
Grand Trianon.

répertoire de modèles pour l'ensemble des vues de Jean Cotelle destinées à la galerie du palais. Tout en célébrant les jardins et les fontaines de Versailles, Cotelle peupla ses vues telles que *L'Entrée du
Labyrinthe (fig. 3)* de petites figures mythologiques placées au premier plan, qu'il emprunta au cycle de l'Albane en les adaptant. Mais
de tous les peintres de ce groupe, ce sont les frères Boullogne qui
évoquent le plus fidèlement le style de l'Albane, comme le montre
bien le *Vénus, l'Hymen et des Amours* de Louis II de Boullogne
(fig. 4), qui reproduit non seulement des motifs individuels de l'*Histoire de Vénus*, mais également les minces proportions des figures de
l'Albane, leurs formes délicatement arrondies et leurs poses gracieuses.

Sous le règne de Louis XIV, l'influence de l'Albane s'étendit au-
delà de la peinture de chevalet à d'autres genres. Ses sujets
« agréables » et son talent particulier pour les figures de petites
dimensions étaient des modèles parfaits pour les arts décoratifs. Les
quatre épisodes mythologiques de l'*Histoire de Vénus*, avec ses autres

cycles diffusés en France grâce aux gravures de Baudet et de Benoît I Audran, étaient des sources très appréciées. Outre la décoration du plafond de Mazarin déjà évoquée, ces compositions se retrouvaient au plafond d'autres demeures parisiennes comme l'hôtel de Matignon, rue de Varenne, où les vastes panneaux du Grand Salon copiaient les *Quatre Eléments* de l'Albane et où les dessus-de-porte de la pièce voisine présentaient des copies des *Amours désarmés* (cat. 14) et d'*Adonis conduit près de Vénus* (cat. 15)[22]. De même, des détails des *Amours désarmés* ont servi de motifs principaux pour plusieurs panneaux décoratifs, dont un tableau à présent conservé au musée de Poitiers *(fig. 5)* qui ornait à l'origine les boiseries du château de Meudon[23]. Les deux reliefs en terre cuite de Pierre-Etienne Monnot présentés dans l'exposition (cat. 36-37), dont les compositions sont tirées de celles de l'*Histoire de Vénus*, illustrent une autre facette de ce phénomène. En 1693, Monnot copia la scène principale des quatre tableaux de l'Albane, en la modelant d'abord en terre cuite puis en la sculptant en marbre sur les faces de piédestaux destinés à la présentation de statues antiques. L'inversion de chaque composition révèle que Monnot utilisa les estampes de Baudet, et non les originaux. Enfin, les œuvres de l'Albane servirent également de modèles pour de petits objets de luxe en céramique ; ainsi, la composition d'*Adonis conduit près de Vénus* (cat. 15) se retrouve sur un plat en faïence de Rouen du début du XVIIIe siècle[24] *(fig. 6)*.

Cet aspect de l'art de l'Albane, qui séduisit les collectionneurs français et influença les peintres français – ses tableaux de cabinet sur des thèmes sacrés et profanes, avec leurs formes gracieuses dans des paysages agréables –, lui valut également des appréciations critiques favorables dans les écrits sur l'art français de la fin du XVIIe siècle. Dans ses *Entretiens…* (1685), Félibien loue les tableaux de chevalet de l'Albane pour leur « grande beauté » et cite ses représentations de « lieux plaisans & delicieux » ou de Vénus accompagnée des Grâces, en songeant certainement à *La Toilette de Vénus* (cat. 13) et à ses « petits Amours »[25]. En racontant l'histoire de la femme de l'Albane qui aimait à faire poser leurs douze enfants après les avoir dévêtus, et en les suspendant même en l'air pour que son époux les dessine, Félibien instaura un mythe littéraire sur l'artiste qui persista jusqu'au XIXe siècle. Comme Félibien, le critique français Roger de Piles nota dans ses *Réflexions sur les ouvrages de l'Albane* (1699) la grande mode des petits tableaux de cabinet de l'artiste, « dispersez comme des pierres précieuses par toute l'Europe », et dont les « pensées ingénieuses » donnaient plaisir à tous. Quelques

22. Magny, cat. exp. Paris, 1981, p. 30.
23. Loire, 1996, p. 382.
24. Grandjean, cat. exp. Rouen, 1999-2000, p. 182-183, n° 86 bis, repr. couleurs.
25. Félibien, IV, 1685, p. 219-227.

Fig. 5
Panneau décoratif d'après l'Albane,
Les Amours désarmés,
Poitiers, musée Sainte-Croix.

Fig. 6
Faïence de Rouen, XVIIIe siècle,
d'après l'Albane,
Adonis conduit près de Vénus,
New York, The Metropolitan
Museum of Art.

années plus tard, de Piles situa l'Albane relativement haut au sein de l'école bolonaise dans sa célèbre *Balance des peintres* (1708), en le plaçant par sa note générale au-dessous des Carrache et du Dominiquin, mais au-dessus du Guerchin et de Reni[26]. Félibien et de Piles introduisaient cependant tous deux une note négative dans leurs jugements sur son art, qui ne devait être amplifiée que beaucoup plus tard. De manière désobligeante, Félibien commença par faire remarquer que le peintre n'était pas «un des plus forts *Eléves* des Carraches», une appréciation qui émousse quelque peu ses éloges des petits tableaux mythologiques et confirme son rejet des œuvres de grandes dimensions, cruciales pour la réputation des meilleurs artistes. Quant à de Piles, il n'aimait pas non plus l'aspect trop léché des tableaux de l'Albane et critiquait leur caractère répétitif, notant même, à l'occasion d'un séjour à Bologne, qu'«ayant admiré une œuvre de l'Albane, on pourrait dire qu'il les avait toutes vues, étant donné qu'elles étaient toujours pareilles[27]».

Néanmoins, les amateurs, critiques et peintres français continuèrent à tenir l'Albane en haute estime tout au long du XVIIIe siècle. Des tableaux de sa main, ou dont on estimait qu'ils lui revenaient, apparaissent fréquemment dans les catalogues de ventes, témoignant d'un marché vivant parmi des collectionneurs comme le prince de Carignan, le président de Tugny, Pierre Crozat, le prince de Conti, entre autres[28]. La collection récente la plus importante était celle du Régent, Philippe II d'Orléans, connaisseur avisé qui réunit une magnifique galerie au Palais-Royal dans les trente premières années du XVIIIe siècle. Malgré sa dispersion quelques décennies plus tard, un catalogue contemporain et des gravures permettent de la reconstituer et d'identifier certaines des œuvres ayant survécu[29]. L'Albane était bien représenté par neuf tableaux, plus deux autres qui étaient attribués par erreur à Annibal Carrache. Avec ses petites dimensions, ses supports en cuivre et ses thèmes, les œuvres de ce groupe avaient généralement le même profil que celles de l'Albane déjà présentes dans les cabinets des «curieux» parisiens et dans la collection royale. L'une des exceptions qui méritent d'être citées est un grand tableau d'église représentant *Saint Laurent Giustiniani* (fig. 7) que le duc acquit de l'héritier de la reine Christine de Suède[30]. Connu aujourd'hui uniquement à travers l'une des planches gravées d'un recueil d'estampes d'après les tableaux de la galerie d'Orléans, cet exemple unique de la grande manière publique de l'Albane ne suffit pas à changer la vision qu'on avait du peintre. Plus en accord avec le goût français contemporain, le duc

26. De Piles, 1699, p. 332-335 ; de Piles, 1708.
27. Malvasia, 1678 (1841), II, p. 177.
28. Wildenstein, 1982.
29. Dubois de Saint-Gelais, 1727 ; Fontenay et Couché, 1786-1808 ; Mardus, 1990.
30. Puglisi, 1999, p. 137-138, n° 51.

d'Orléans possédait des versions du *Baptême du Christ* (cat. 24) et de *La Prédication de saint Jean-Baptiste* (cat. 25) mais de proportions plus petites, sur cuivre et non sur toile et, dans le cas du second, de format ovale[31]. L'œuvre la plus célèbre de l'Albane dans la galerie du duc d'Orléans était *La Sainte Famille*, ou *La Petite Laveuse*, provenant du cabinet de l'abbé de Camps, qui fut gravée par Couché[32]. Ce charmant tableau, que Malvasia qualifiait de *« tremendissimo »*, montrait la Vierge Marie (la « Petite Laveuse ») agenouillée et lavant le linge, tandis que l'Enfant Jésus le portait à Joseph, qui, avec l'aide de putti, le mettait à sécher sur la branche d'un arbre[33]. Avant son acquisition par le duc, la composition devait être déjà bien connue en France, non seulement grâce à la description de Malvasia mais aussi par deux estampes anciennes dues aux graveurs français Guillaume Chasteau (*fig. 38*) et Guillaume Vallet. Deux toiles conservées dans la cathédrale de Coutances témoignent elles aussi de la popularité du thème : la première est une copie de *La Petite Laveuse* et la seconde reproduit un autre tableau du duc d'Orléans, *Le Repos pendant la fuite en Egypte*, ce qui suggère que ces copies furent exécutées au XVIIIᵉ siècle[34]. L'interprétation sentimentale des Saintes Ecritures que propose l'Albane était faite pour plaire au goût français, comme l'atteste le jugement porté au milieu du siècle par Jean-Baptiste de Boyer, marquis d'Argens, dans ses *Réflexions critiques sur les différentes écoles de peintures* (1768). Au sujet de *La Petite Laveuse* et de l'iconographie religieuse du peintre, dont il comparait les mérites à ceux d'Antoine Coypel, Boyer d'Argens soulignait « combien l'Albane savoit répandre de graces dans les sujets les plus simples[35] ».

Au tournant du XVIIIᵉ siècle, la réputation de l'Albane ne fut pas ternie lors des débats stylistiques entre poussinistes, défenseurs de la

31. Le *Saint Jean-Baptiste* du duc d'Orléans est peut-être à identifier avec l'un des deux tableaux conservés dans des collections particulières (Puglisi, 1999, p. 188-189, n⁰ˢ 106.V.a-b).
32. Sur les six tableaux de l'Albane dans la collection de l'abbé de Camps, voir Bonfait, 1998.
33. Malvasia, 1678 (1841), II, p. 197 ; Puglisi, 1999, p. 210, n°145.
34. Sur *Le Repos pendant la fuite en Egypte* du duc d'Orléans (Princeton, Art Museum), autrefois attribué à Annibal Carrache mais revenant également à l'Albane, voir Puglisi, 1999, p. 110-111, n° 31. Les copies de Coutances ont été découvertes par Stéphane Loire.
35. Boyer d'Argens, 1752, p. 195.

Fig. 7
Gravure d'après l'Albane,
Saint Laurent Giustiniani, XVIIIᵉ siècle,
Paris, Bibliothèque nationale de France.

peinture romaine et de Poussin, et les rubénistes, partisans de la couleur, de l'art vénitien et de Rubens. S'il était considéré comme un des disciples des Carrache, et donc un tenant respecté de l'idéal classique prôné par l'Académie royale, ses tableaux de cabinet conservés en France en faisaient un peintre poétique ayant une vision intime et lyrique du passé classique. L'œuvre de l'Albane réussit donc à garder un pied dans chaque camp, suscitant les éloges critiques de De Piles, le rubéniste, ainsi que celles de Félibien, le poussiniste, et influença non seulement les peintres français classicisants, mais également ceux qui adoptaient une manière douce et picturale, de Charles de La Fosse à Antoine Watteau, François Boucher et Jean-Honoré Fragonard. La Fosse adapta un motif de la célèbre *Danse des Amours* de l'Albane *(fig. 36)* comme sujet principal de son morceau de réception à l'Académie royale de Peinture et de Sculpture, peu après son retour d'Italie[36]. Son choix prend d'autant plus de relief à la lumière de ce que dit son ami de Piles en 1676 : alors qu'auparavant il préférait la manière vigoureuse du Guerchin, de Valentin et de Caravage, « ce que j'aime le plus aujourd'huy, ce sont les Albanes », sans doute pour ses tableaux aux couleurs et à l'ambiance éclatantes[37]. L'Albane continua de faire autorité pour Watteau, qui avait le soutien de La Fosse à l'Académie. Peu après son arrivée à Paris en 1702, Watteau aurait gagné sa vie en copiant et en colorant des gravures d'après

36. Charles de La Fosse, *L'Enlèvement de Perséphone*, 1673, Paris, École nationale supérieure des Beaux-Arts.
37. Cité dans Tesseydre, 1964, p. 112.

Fig. 8
Louis Surugue d'après Antoine Watteau,
Les Amusements de Cythère, XVIIIᵉ siècle,
Paris, Bibliothèque nationale de France.

l'Albane pour les marchands du pont Notre-Dame[38]. Les estampes en question étaient certainement les deux splendides séries d'après l'*Histoire de Vénus* et les *Quatre Eléments* (Turin, Galleria Sabauda) dues aux graveurs français Benoît Audran et Etienne Baudet, dont les gravures avaient joué un rôle essentiel dans l'acquisition du premier de ces cycles par le roi[39]. Dans ses propres sujets mythologiques indépendants comme *Les Amusements de Cythère* (fig. 8), Watteau a imité la *Vénus couchée* de l'Albane et ses *Cupidons* (cat. 15), mais manifestement d'après la gravure de Baudet.

Dans le cadre du programme artistique instauré par Nicolas Vleughels, le directeur de l'Académie de France, les jeunes peintres français qui partaient comme lauréats du Prix de Rome après 1727 étaient encouragés à copier avant tout les maîtres bolonais. Ainsi, Vleughels envoya Pierre Subleyras, un jeune pensionnaire, copier en particulier des œuvres de l'Albane au palais Chigi et au palais Colonna[40], un choix qui n'a rien pour surprendre étant donné l'amitié qui unissait autrefois Vleughels à Watteau. Vleughels fit des recommandations comparables à François Boucher lors de son propre séjour à Rome qui recoupa celui de Subleyras, entre 1728 et 1732 ; trente ans plus tard, rentré depuis longtemps à Paris, Boucher devait conseiller à un jeune peintre sur le point de partir d'éviter Raphaël (« un peintre bien triste ») et Michel-Ange (« qui fait peur »), et d'étudier surtout l'Albane[41]. Cette remarque semble aujourd'hui extraordinaire mais elle n'est en fait pas tellement surprenante venant de Boucher : ses contemporains reconnaissaient les parallèles évidents que l'on pouvait établir entre ses déesses nues, ses nymphes au bain et ses doux putti, et ceux de l'Albane dans l'*Histoire de Vénus* et d'autres tableaux mythologiques de la collection royale, de la galerie du Régent et de nombreux cabinets parisiens. Boucher conseilla également à « Frago » d'ignorer Raphaël et Michel-Ange au départ de son élève pour l'Italie en 1756, et, une fois à Rome, Fragonard copia non seulement les maîtres anciens et « modernes » de la Renaissance classique mais il fit également des dessins d'après des œuvres de l'Albane au palais Verospi et au palais Borghèse. A son retour à Paris, en compagnie de l'abbé de Saint-Non, il s'arrêta à Bologne, une étape obligatoire sur l'itinéraire de tout voyageur français cultivé de l'époque, et copia deux retables de l'Albane, ainsi qu'une fresque et deux tableaux de chevalet, dont *La Danse des Amours* qui avait plu à La Fosse[42]. Néanmoins, même si cette sélec-

---

38. Eidelberg, 1999, p. 42.
39. Sur ces gravures, voir Weigert, 1939, I, p. 112-113, n°s 63-66 (Audran), p. 293-294, n°s 32-35, 37-40 (Baudet, 1672 et 1695).
40. Pierre Subleyras, d'après l'Albane, *Ecce Homo*, 1736, Genève, musée d'Art et d'Histoire (Rosenberg et Michel, cat. exp. Paris-Rome, p. 159-160, fig. 3). L'original de l'Albane est conservé au palais Colonna (Puglisi, 1999, p. 166-167, n° 77).
41. Rosenberg, cat. exp. Paris-New York, 1986, p. 53.
42. Saint-Non, 1770-1775 ; Rosenberg et Brejon de Lavergnée, 1986.

Fig. 9
Jean-Honoré Fragonard
et Jean-Claude Richard,
abbé de Saint-Non, d'après l'Albane,
Allégorie de la Passion, 1770-1775,
Paris, Bibliothèque nationale de France.

tion représentait un large éventail de l'œuvre de l'Albane, Fragonard donna sa propre interprétation de chaque original vu à travers
la réputation du peintre italien en France telle qu'il la percevait. Fragonard traduisit ainsi l'*Allégorie de la Passion* de l'Albane *(fig. 35)*, un
austère retable bolonais, en une image élégante et gracieuse *(fig. 9)*,
perpétuant de la sorte l'image artistique conventionnelle du maître
bolonais pour le public français contemporain.

La faveur dont jouissait l'Albane perdura jusque dans les dernières décennies du XVIIIe siècle et demeura une référence artistique.
A sa mort en 1770, Boucher fut explicitement comparé à l'Albane
dans la nécrologie publiée par le *Mercure de France* et, six ans plus
tard, l'abbé de Fontenay le surnomma «l'Albane de France» dans
son grand *Dictionnaire des artistes*[43]. Ces allusions à l'Albane dans les
hommages à un peintre français récent soulignent la haute réputation
critique du maître. Boucher ne fut du reste pas le seul à mériter ce
surnom. Lorsque Louis-Jean-François Lagrenée l'Aîné présenta *Les
Grâces lutinées par les Amours* avec *Les Grâces qui prennent leur
revanche (fig. 10)* au Salon de 1779, il fut aussitôt salué comme «l'Albane de la France» par le diplomate américain Benjamin Franklin
qui s'était apparemment familiarisé avec l'art de l'Albane lors de sa
longue mission à Paris. La formule de Franklin trouva des échos
chez d'autres critiques contemporains, qui comparèrent les «petits
tableaux de sujets aimables» de Lagrenée à ceux de l'Albane, et cette
comparaison resurgit régulièrement par la suite dans les biographies du peintre français[44].

Pendant la période révolutionnaire, les
Français eurent la chance de voir des œuvres de
l'Albane en plus grand nombre encore car le
nouveau Muséum central des Arts au Louvre
– rebaptisé musée Napoléon en 1803 – avait
considérablement enrichi le noyau d'œuvres
provenant de la collection royale avec les biens
confisqués aux émigrés et condamnés, ou grâce
aux saisies que les commissaires de la République française ordonnaient dans les églises
supprimées en Italie, et les concessions que
Napoléon négocia lors des traités de paix avec
les autorités italiennes. A la première catégorie
appartient la *Tête de Vierge* (cat. 27) qui fut
confisquée à Bourgevin Vialard de Saint-Maurice, ex-conseiller au parlement de Paris. La
renommée de l'Albane en France valut à quatorze de ses tableaux de figurer parmi les
œuvres transportées à Paris en provenance
d'églises et de collections particulières de Turin,
Florence et Bologne[45]. Certaines d'entre elles

avaient probablement été choisies de manière spécifique parce qu'elles étaient déjà connues à travers des gravures ou les descriptions de la riche littérature de voyage du XVIIIe siècle. La *Danse des Amours (fig. 36)* du palais Sampieri de Bologne, que La Fosse et Fragonard avaient tous deux étudiée, *La Sainte Famille* (cat. 23) de l'église des Capucins de Bologne, le cycle des *Quatre Eléments* gravé par Baudet, et *Le Repos pendant la fuite en Egypte* (cat. 20) du palais royal de Turin, étaient cités dans les guides du président de Brosses, de Cochin et de Lalande[46]. Si certains tableaux furent exposés pendant un temps à Paris puis rendus à l'Italie en 1815, d'autres restèrent en France, soit au Louvre (cat. 26), soit dans des musées de province nouvellement créés à Caen (cat. 27), Dijon (cat. 23) ou Grenoble (cat. 29 et 30).

L'afflux d'œuvres provenant des saisies révolutionnaires ne modifia pas de manière substantielle l'image de l'Albane en France, celle d'un peintre de tableaux de chevalet aux thèmes mythologiques ou religieux charmants. Deux exceptions dans ce groupe méritent toutefois d'être citées, car elles représentent un aspect peu connu de l'œuvre de l'Albane. La première est le retable de *La Nativité de la Vierge*, que l'Albane avait peint très tôt dans sa carrière pour une

43. Fontenay, 1776.
44. Sandoz, 1983, p. 57, 59, 60, 64, 62, 259-260, n°s 321-322.
45. Blumer, 1936, p. 249-251, n°s 1-14.
46. De Brosses, 1931 ; Cochin, 1758 ; Lalande, 1769. Voir aussi Loire, 1996, p. 13.

Fig. 10
Louis-Jean-François Lagrenée,
Les Grâces qui prennent leur revanche, 1779,
Grande-Bretagne, collection particulière.

église de Bologne. Copiée par Fragonard, l'œuvre avait été commentée en termes élogieux dans les récits de voyage français, bien que, très proche des Carrache, elle ne fût pas typique du peintre. A son arrivée à Paris, Jean-Baptiste-Pierre Lebrun salua le retable comme l'«une des plus belles productions de l'Albane[47]». En revanche, le second retable, *La Sainte Famille* (cat. 23), datant de la fin de sa carrière, était considéré comme représentatif de ses œuvres de grandes dimensions, et de Brosses notait à son propos : «jolie pensée, tableau gracieux & spirituel, mais toujours faible». D'autres réserves exprimées par Cochin («un peu trop doucereux») et Lalande («il est froid, ainsi que la plupart des morceaux que cet artiste a peints grands comme nature») sont les premiers signes du fléchissement de la réputation de l'Albane, qui allait s'effondrer au XIXe siècle[48].

Le déclin de la fortune critique de l'Albane en France au cours du XIXe siècle reflète notamment l'ample changement de goût qui affecta l'école bolonaise tout entière. Mais l'intensité même de l'estime dont l'Albane avait joui pendant si longtemps provoqua dans la littérature critique une réaction plus forte à son égard que pour aucun autre des peintres bolonais. Sa réputation sembla désormais surfaite, «longtemps exagérée par la vogue et l'engouement». L'abondance des tableaux de l'Albane en France, et tout particulièrement au Louvre, lui valut avant tout de nouveaux reproches[49]. Ce qui fit toutefois le plus de tort à sa réputation fut la vision nouvelle du contenu de son art. Ses déesses nues et ses Cupidons avaient ravi les spectateurs français tout au long de l'Ancien Régime, si bien que ces mêmes sujets évoquaient un goût artistique jugé non seulement démodé, mais restant indissociablement lié aux privilèges royaux et aristocratiques, et à toutes les idées de frivolité et de décadence qui leur étaient associées. Ce changement d'attitude face à l'Albane est parfaitement illustré par le jugement d'Hippolyte Taine : «Peut-être est-il de tous les maîtres celui qui exprime le mieux le goût de cette époque, doucereux et fade, amateur de nudités sentimentales et de mythologie souriante[50].» Alors que la comparaison avec l'Albane était auparavant flatteuse pour les peintres français du XVIIIe siècle, le maître italien du Seicento souffrait désormais d'être trop rapproché de l'art rococo. Le renversement du statut critique de l'Albane se reflète dans le jugement porté par Charles Blanc vers la fin du XIXe siècle dans un texte influent : «Son âme légère s'arrêtait à la surface de l'art[51].»

---

47. Lebrun, 1798, p. 54. Restitué en 1815, le retable fut envoyé par erreur à Rome où il est maintenant conservé à la Pinacoteca Capitolina (Puglisi, 1999, p. 94-95, n° 6).
48. De Brosses, 1931, I, p. 296 ; Cochin, 1758, II, p. 134 ; Lalande, 1769, II, p. 95.
49. Viardot, 1855 (1860), p. 79-80.
50. Taine, 1865, II, p. 204.
51. Blanc, 1874, p. 4.

Malgré ces condamnations par les critiques, collectionneurs et artistes continuèrent, au XIXe siècle, à apprécier les tableaux de chevalet de l'Albane pour les mêmes raisons qu'auparavant : leurs sujets idylliques et leurs formes gracieuses. Les résultats des ventes publiques témoignent d'un marché actif pour les œuvres du peintre, à Paris, peut-être favorisé par la baisse des prix que Bescherelle notait dans son *Dictionnaire* de 1857[52]. En outre, on pouvait encore faire des acquisitions importantes, comme l'atteste l'achat par Sébastien Errard, auprès d'une collection particulière romaine, d'un cycle de quatre tableaux allégoriques, *Les Quatre Saisons*, connus en France à la fois grâce au guide de voyage plus ancien de l'abbé Richard et à la gravure de Fragonard d'après deux détails de *L'Hiver*. Dans le dernier des cycles du peintre, chaque scène représentait une Saison, combinant et variant des motifs de l'*Histoire de Vénus* et des *Quatre Eléments* à Turin. Errard ajouta le cycle à une vaste collection de tableaux qu'il installa et ouvrit au public dans la demeure qu'il venait d'acquérir à la campagne, le château de la Muette[53]. L'imitation de l'Albane par les artistes français était plus limitée qu'auparavant mais elle produisit néanmoins de remarquables exemples dans la première partie du siècle, comme *L'Enlèvement d'Europe (fig. 11)* de Bernard d'Agesci (1756-1829)[54] ou *Le Jeune Zéphyr* (1814 ; Dijon, musée des Beaux-Arts) de Pierre-Paul Prud'hon. Un critique de l'époque compara tout naturellement le

52. Bescherelle, 1857, p. 118.
53. Devries, 1981 ; Puglisi, 1999, p. 194-195, n° 114.
54. A comparer avec la composition de même sujet par l'Albane (Puglisi, 1999, p. 170-172, n° 83.V.e, pl. 186).

Fig. 11
Bernard d'Agesci,
L'Enlèvement d'Europe,
Niort, musée Bernard d'Agesci.

thème mythologique et le style gracieux de Prud'hon à l'art de l'Albane, mais jugea le Français bien supérieur[55]. D'autres peintres français de sujets historiques trouvèrent leur inspiration dans la vie de l'Albane, notamment dans une anecdote haute en couleur qui remontait à Félibien au XVIIe siècle. Au Salon de 1834, Pierre-Jérôme Lordon, un élève de Prud'hon, exposa *L'Atelier de l'Albane* (cat. 35) : il y a représenté le peintre dans son atelier se détournant de son chevalet pour observer l'un de ses enfants lancé en l'air par sa femme. La même histoire servit de thème à une œuvre d'Hippolyte Lazerges présentée au Salon de 1857 et montrant *L'Albane regardant jouer ses enfants (fig. 46)*. Ces deux images, qui nous séduisent à présent par leur humour, renforcèrent le cliché de l'art aimable et léger de l'Albane tout en confirmant sa renommée inébranlable.

Les paysages des fonds des tableaux de cabinet de l'Albane commencèrent eux aussi à attirer une attention nouvelle. Les historiens de l'art français du début du XXe siècle, notamment Louis Gillet et Gabriel Rouchès, incitèrent les spectateurs à regarder au-delà de ce qu'ils percevaient comme des sujets doucereux dans l'*Histoire de Vénus* et d'autres tableaux mythologiques pour se concentrer sur leurs cadres rendus avec sensibilité, dont les grands arbres, les lacs scintillants et les horizons lointains rattachaient la vision de la nature de l'Albane à celle des grands paysagistes français du XVIIe siècle, Claude et Poussin[56]. Ces commentaires, qui déformaient ouvertement la signification première de l'art de l'Albane et la réception critique qu'on lui avait accordée, soulignaient néanmoins sa contribution à la tradition artistique occidentale et amorçaient la nouvelle vision du peintre qui se dessina dans l'histoire de l'art moderne. Le déclin et la réhabilitation de la réputation de l'Albane sont parfaitement illustrés par les variations du nombre de ses tableaux exposés au Louvre entre les années 1790 et nos jours. A l'époque révolutionnaire, plus de quarante de ses œuvres étaient présentées et sa renommée lui valut de figurer parmi l'ensemble de bustes d'artistes célèbres commandés pour orner la Grande Galerie du Louvre (cat. 34). Ce nombre chuta sensiblement à la suite des envois de l'Etat et des dépôts, car beaucoup de tableaux quittèrent Paris pour la province avant la fin du XIXe siècle. *Le Baptême du Christ* (cat. 24) et *La Prédication de saint Jean-Baptiste* (cat. 25) furent ainsi parmi les premiers envois de l'Etat à Lyon et, au fil des décennies, les dépôts du Louvre attribuèrent d'autres de ses tableaux à Fontainebleau (cat. 17, 18, 20 et 21), à Besançon (cat. 28), à Clamecy (cat. 2) ou à

55. Laveissière, cat. exp. Paris-New York, 1997-1998, p. 251-253.
56. Gillet, 1913, p. 10-14 ; Rouchès, 1921, p. 121-125.
57. Brejon de Lavergnée et Volle, 1988.
58. Loire, 1996.
59. En particulier Schnapper, 1994.

Dole (cat. 4). Un effet positif fut de rendre les tableaux de l'Albane accessibles au public en dehors de la capitale ; mais le bénéfice de la décentralisation fut contrebalancé à Paris par la disparition de la plupart des œuvres du peintre, si bien que, vers 1900, il n'en restait pas plus de quatre exposées au Louvre. Et, si je puis ajouter une note personnelle, lorsque je suis venue au Louvre il y a une vingtaine d'années pour y étudier les œuvres de l'Albane, un seul tableau était exposé, et encore cette *Déploration sur le corps du Christ* (cat. 3) était-elle alors attribuée à Annibal Carrache.

Au cours des deux dernières décennies, la situation s'est radicalement améliorée, et les visiteurs peuvent aujourd'hui de nouveau voir au Louvre un ensemble impressionnant d'œuvres de l'Albane, récemment restaurées. Des expositions et d'innombrables publications témoignent du regain d'intérêt de la critique et du public français pour la peinture italienne du XVIIe siècle : l'exposition *Seicento* de 1988-1989, qui comprenait le *Cycle de Carrouges* (cat. 17-18) de l'Albane, et la publication concomitante du *Répertoire des peintures italiennes du XVIIe siècle*[57], vaste recensement des musées français avec vingt-huit notices consacrées à l'Albane ; le catalogue exhaustif des tableaux de l'Ecole bolonaise au Louvre en 1996[58] ; et les nombreuses études spécialisées sur les collections françaises de peinture italienne retraçant les fortunes artistiques de l'Albane[59]. Un demi-siècle après les expositions capitales sur les Carrache et leur école à Bologne, la présente exposition est la première à être exclusivement consacrée à l'Albane, et témoigne des relations durables entre le peintre et la France.

33

CAT. 10
Apollon et Daphné
Vers 1620-1625
Paris, musée du Louvre

CAT. 11
Salmacis et Hermaphrodite
Vers 1620-1625
Paris, musée du Louvre

CAT. 12
Le Repos de Vénus et de Vulcain
1621-1633
Paris, musée du Louvre

CAT. 13
La Toilette de Vénus
1621-1633
Paris, musée du Louvre

CAT. 15
Adonis conduit près de Vénus par les Amours
1621-1633
Paris, musée du Louvre

CAT. 17
Apollon et Mercure ou *Allégorie du Monde céleste*
Vers 1635
Fontainebleau, musée national du Château

CAT. 18
Cybèle et les Saisons ou *Allégorie du Monde terrestre*
Vers 1635
Fontainebleau, musée national du Château

CAT. 23
La Sainte Famille
Vers 1640-1641
Dijon, musée des Beaux-Arts

Les débuts à Bologne
et le séjour à Rome

Couvrant un peu plus de six décennies, la carrière de Francesco Albani, dit l'Albane (Bologne, 1578-Bologne, 1660), est bien documentée grâce aux biographies ou aux mentions de ses œuvres données par ses contemporains Giulio Mancini (vers 1621), Francesco Scannelli (1657), Luigi Scaramuccia (1674), Joachim von Sandrart (1675), Giovanni Battista Passeri (vers 1678) et surtout Carlo Cesare Malvasia (1678), le grand historien de l'Ecole bolonaise[1] ; quant à celle que Giovanni Pietro Bellori avait rédigée[2], elle n'a jamais été publiée ni même retrouvée. Il existe d'autre part un ensemble assez considérable de lettres de l'artiste, contrats de commandes ou mentions d'inventaires, qui permettent de restituer une chronologie satisfaisante de sa carrière, malgré la difficulté que constitue l'abondance des répliques ou copies de tableaux destinés à des amateurs, souvent réalisées dans son atelier à des dates éloignées[3].

L'Albane est né à Bologne le 17 mars 1578. Propriétaire d'une soierie, son père le destinait à une carrière de juriste et l'envoya à la Scuola della Grammatica puis à la Scuola dell'Aritmetica[4]. Montrant peu d'intérêt pour le latin et l'arithmétique, Francesco put quitter l'école à la mort de son père en 1590 pour entrer chez Denys Calvaert (vers 1540-1619), un artiste flamand installé à Bologne vers 1575 qui eut jusqu'à sa mort un atelier très actif. Placé par Calvaert sous la tutelle de Guido Reni (1575-1642) et côtoyant Domenico Zampieri, dit le Dominiquin (1581-1641), l'Albane reçut une éducation artistique complète et peignit lui aussi de petits cuivres généralement vendus sous le nom de Calvaert, dont l'exemple devait être essentiel pour la technique léchée et miniaturiste de sa maturité. L'influence de son maître sur ses premières œuvres connues semble pourtant assez mince, et comme Reni et le Dominiquin, il rejoignit assez vite, sans doute en 1595, l'Accademia degli Incamminati, le cercle beaucoup plus progressiste des trois cousins Carrache,

Fig. 12
La Vierge à l'Enfant avec les saintes
Catherine et Madeleine, 1599,
Bologne, Pinacoteca Nazionale.

Fig. 13
L'Assomption de la Vierge,
vers 1604-1605 (?),
Rome, Galleria Doria Pamphilj.

Annibal (1560-1609), Augustin (1557-1602) et Ludovic (1555-1619). Alors qu'Annibal et Augustin s'apprêtaient à gagner Rome, il se forma chez eux aux techniques de la fresque et de la grande peinture d'église ; il put ainsi jouer un rôle important pour la réalisation de plusieurs projets collectifs réalisés vers 1595-1598 par les élèves de leur académie sous la direction de Ludovic. En dépit de maladresses anatomiques, l'ascendant de celui-ci est sensible dans la frise illustrant l'*Enéide* de l'une des salles du palais Fava[5], et à l'oratoire San Colombano où il peignit en particulier le tableau d'autel montrant *Le Christ ressuscité apparaissant à la Vierge*[6] ; mais l'exemple d'Annibal, dans la structure ou les attitudes, est plus sensible dans d'autres tableaux d'église[7] *(fig. 12)* comme dans des petites œuvres de dévotion de cette époque (cat. 1-2). L'Albane s'en distingue toutefois par la douceur des figures et par le *sfumato* inspiré de Corrège, dont pourraient provenir les expressions tendres et le sentiment d'intimité familière ; un voyage d'étude à Parme, Modène et Reggio Emilia, effectué en compagnie du Dominiquin selon Bellori[8], lui avait certainement permis de prendre une connaissance directe des œuvres de son aîné.

Les premiers succès personnels de l'Albane et son admiration pour le plus jeune des trois cousins Carrache le conduisirent à la rupture avec Ludovic, et à son départ pour Rome. Arrivant dans la Ville éternelle entre avril et octobre 1601 en compagnie de Reni, il semble être resté à l'écart du chantier de la galerie Farnèse, dont la voûte fut dévoilée en mai de la même année, tandis que d'autres disciples émiliens d'Annibal devaient travailler jusqu'en 1604 au décor des parois, le Dominiquin, Giovanni Lanfranco (1582-1647) et Sisto Badalocchio (1585-après 1620). Sa première activité romaine au voisinage d'Annibal Carrache et de ses disciples immédiats reste difficile à cerner, mais la recherche d'une clientèle pourrait l'avoir amené à réaliser avant tout des petits tableaux de chevalet (cat. 3-4). Un certain nombre de documents, et des indications stylistiques précises, renseignent cependant sur sa participation à deux autres ensembles collectifs réalisés sous la direction d'Annibal. Sans doute reconnu comme son élève le plus expérimenté, l'Albane fut, dès 1605, son principal assistant pour l'exécution de six toiles en forme de lunettes destinées au palais du cardinal Pietro Aldobrandini[9] (Rome, Galleria Doria Pamphilj). Annibal en avait reçu la commande en 1603 mais il ne put mener à terme la série en raison d'une profonde crise morale et seules *La Fuite en Egypte* et *La Mise au tombeau* lui reviennent de façon certaine[10]. L'Albane reçut le dernier paiement pour cet ensemble en 1613 et l'importance de son rôle essentiel ne fait aucun doute, même s'il n'est pas aisé d'évaluer sa participation à certains tableaux ; il est du moins assuré qu'il a peint l'essentiel de *L'Assomption de la Vierge (fig. 13)* et une bonne part de *La Visitation*, donnant pour la première fois son interprétation d'un paysage idéal baigné

par une lumière égale et décrit dans une facture délicate. Quant aux huit scènes de la vie de saint Jacques pour la chapelle Herrera de l'église San Giacomo degli Spagnuoli (vers 1605-1606 ; tableaux à Madrid, Prado, et Barcelone, Museo d'Arte de Catalunya)[11], elles le signalent comme un interprète fidèle des projets de son maître, qu'il sut traduire dans un classicisme tempéré.

Le succès reconnu à ces deux ensembles lui valut de recevoir, entre 1606 et 1614, des commandes prestigieuses de décors à fresque pour les palais des familles Mattei (1606-1607)[12], Giustiniani (1609-1610) et Verospi (vers 1611-1612), à la chapelle privée du pape Paul V au palais du Quirinal sous la direction de Guido Reni[13], et à l'église Santa Maria della Pace (1612-1614) (voir cat. 31). C'est à Bassano di Sutri, au nord de Rome, pour la résidence de campagne du riche banquier génois Vincenzo Giustiniani, l'un des amateurs les plus éclairés de l'époque, qu'il peignit son plus vaste décor à fresque[14]. Consacré à l'histoire de Phaéton, développée ici dans un contexte narratif inhabituel *(fig. 15)*, il unifie la totalité de la voûte et des murs de la galerie avec un illusionnisme très convaincant ; quant à la loggia du palais Verospi[15] *(fig. 14)*, elle est ornée de figures mythologiques réunies en une allégorie du Temps. Par l'originalité de leurs solutions formelles, leurs traitements raffinés d'iconographies savantes, leurs compositions classiques, comme par leurs figures idéalisées fondées sur la manière romaine d'Annibal Carrache et les fresques de Raphaël, ces créations monumentales très tôt admirées permettent de reconnaître à l'Albane un rôle de premier plan dans l'histoire du grand décor peint à Rome. Assez curieusement, on ne conserve que deux grands tableaux peints par l'artiste lors de son séjour à Rome, *Le Christ et la Samaritaine* (Vienne, Kunsthistorisches Museum) et un *Saint Laurent Giustiniani* pour l'église San Salvatore in Lauro non localisé depuis le début du xxᵉ siècle[16] ; il est possible que ses réussites en tant que décorateur et auteur de tableaux de cabinet aient suffi à l'occuper jusqu'en

Fig. 14
Gerolamo Frezza d'après l'Albane,
Allégorie du Temps (vers 1611-1612),
Rome, palais Verospi, 1704,
Paris, Bibliothèque centrale
des musées nationaux.

Fig. 15
*Les Dieux de l'Olympe
et la chute de Phaéton*, 1609-1610,
Bassano di Sutri, palais Odescalchi.

1617, lorsqu'il retourna définitivement à Bologne sur les injonctions de son frère aîné qui le pressait de s'y marier pour assurer la continuité de leur famille.

C'est pendant ses dernières années romaines que l'Albane devait mettre au point une manière personnelle dans ses paysages, où figures et nature s'harmonisent avec bonheur. Ses premières œuvres ne comportent que de faibles échos des paysages naturalistes peints à Bologne par Annibal, mais à Rome, son intérêt pour ce genre allait être stimulé par celui de son maître et par les succès d'artistes nordiques tel que Paul Brill ou Adam Elsheimer, depuis longtemps en vogue auprès des amateurs. Le type du paysage idéal élaboré par Annibal, dans lequel les détails d'une nature soigneusement observée ont été simplifiés et adaptés afin de créer un cadre équilibré pour la narration, a fourni le premier modèle pour son approche de ce genre. Assez rapidement, toutefois, il devait renoncer à une définition incisive de la nature et à un échelonnement régulier de plans bien définis pour privilégier un rendu des contours plus dégradés et plus atmosphériques. D'autre part, si Annibal et le Dominiquin ont peint des paysages dans lesquels la nature était le sujet principal, l'Albane a toujours donné une importance comparable, voire primordiale, aux sujets, qu'ils soient religieux ou profanes. Au moment de son retour à Bologne, il était parvenu à une pleine maîtrise de ce classicisme idyllique qui constitue l'aspect le plus original de son art. Très appréciés dès le XVIIᵉ siècle pour leur style raffiné et leurs inventions poétiques, ses paysages les plus remarquables montrent de petites figures à la facture porcelainée, à l'ombre d'arbres se détachant sur des panoramas que des cours d'eau sinueux et des montagnes aux contours indécis étendent vers le lointain (cat. 5-11).

---

1 *La Nativité*

Vers 1600-1601
Cuivre. H. 0,420 ; L. 0,298.
Paris, musée du Louvre. Inv. 193.

HISTORIQUE : Collection Ludovisi, Rome, 1633 (?) ; Charles Iᵉʳ de Créquy, Paris, 1638 ; cardinal de Richelieu, 1642 (?) ; duchesse d'Aiguillon, son héritière, avant 1675 ; Picart ; Hérault ; Noël Coypel ; vendu à Louis XIV, 1685 ; galerie des tableaux du Roi à Versailles, 1695 et 1709-1710 ; hôtel du duc d'Antin à Paris, 1715-1736 ; galerie des tableaux du Roi à Versailles, 1737 ; surintendance des Bâtiments à Versailles, 1760, 1784 et 1794 ; transporté de Versailles au Louvre, 1797 ; exposé au Musée central des Arts à partir de 1798.
BIBLIOGRAPHIE : Loire, 1996, p. 86-90 ; Puglisi, 1999, nº 11[A].
EXPOSITIONS : Paris, 1960, nº 510 (« Annibal Carrache ») ; Vérone, 1978, nº 40 (« Antonio Calza »).

Rendue depuis peu à l'Albane, cette *Nativité* est passée dans plusieurs collections prestigieuses avant d'entrer dans celle de Louis XIV. Elle a longtemps été exposée sous le nom d'Annibal Carrache mais dès 1681, dans une lettre adressée au Grand Condé, le collectionneur Michel Passart émettait des doutes sur sa paternité et il semble que le prix élevé payé par le roi à Noël Coypel en 1685 pour son acquisition (2 800 livres), très supérieur à son estimation en 1638 (500 livres), ait été le résultat de manœuvres spéculatives intervenues sur le marché de l'art parisien. Lors de son achat, le tableau était bien connu dans les milieux artistiques de la capitale grâce à une gravure de Charles Simonneau. Editée chez Guillaume Chasteau, un graveur et marchand d'estampes avec lequel

I

tait, en présence de Colbert, de l'*Eliezer et Rebecca* de Poussin. On avait relu à cette occasion la *Conférence* prononcée à son sujet en 1668 par Philippe de Champaigne quand « un particulier [Coypel] opposa un exemple à celui de Poussin, et dit que le Carrache, dans un tableau qui représentoit la Nativité du Sauveur, n'avait pas fait difficulté de mettre sur la première ligne de ce tableau un bœuf et un âne qui en occupoient presque toute la largeur, et qui laissoient dans le fonds et sur les côtés les principales figures du sujet ». Sans que l'œuvre ait été présente, Coypel en avait très clairement fait valoir les mérites devant une assemblée d'amateurs qui devaient connaître la

Fig. 16
Dominiquin d'après Annibal Carrache,
La Nativité, vers 1607-1608,
Edimbourg, National Gallery of Scotland.

Coypel était lié par des alliances matrimoniales, cette feuille montre une composition inversée mais d'un format assez différent, au point de laisser supposer que le cuivre, à l'origine en largeur, avait été coupé d'une vingtaine de centimètres à gauche et à droite. La présence de cette estampe dans le recueil des planches gravées des *Tableaux du Roy* (1686) garantit cependant un rapport immédiat avec le cuivre du Louvre, inventorié en 1685 avec ses dimensions actuelles ; un examen attentif, d'autre part, montre qu'elle présente en fait une composition élargie, mais à peine « complétée ». Surtout, l'érudit Pierre-Jean Mariette a précisé au XVIIIe siècle que la différence de format avec le tableau provenait de ce que « M. Coepel le père qui le fit graver l'a recomposé, pour en faire une planche qui put servir en thèse ». Le 10 octobre 1682, ce dernier en fit une mention explicite au cours d'une *Conférence* de l'Académie royale de Peinture et de Sculpture alors que l'assemblée débat-

Fig. 17
L'Assomption de la Vierge,
vers 1600-1601,
Bologne, San Domenico.

feuille de Simonneau, vraisemblablement à des fins commerciales.

Il est possible que l'augmentation exceptionnelle de la valeur marchande de cette *Nativité* en un demi-siècle soit due en partie à la fausse signature, très ancienne et à l'orthographe fantaisiste, qui se lit en bas du tableau (« *HANIBAL CARACHE* »). Certainement apposée après l'arrivée du tableau en France, elle a longtemps contribué à maintenir l'attribution à Annibal Carrache auquel il ne saurait néanmoins revenir : la relative dispersion de la composition, la maîtrise imparfaite des effets luministes comme l'abondance des détails familiers et animaliers ne permettent pas de l'insérer dans son œuvre, les figures étant par ailleurs d'un dessin moins précis et plus rond que dans son œuvre. La composition évoque pourtant précisément une *Nativité* perdue d'Annibal, peinte vers 1598-1599 par émulation avec *La Nuit* de Corrège[17] *(fig. 16)*, et c'est ce précédent jadis fameux qui a permis d'avancer une attribution à l'Albane au cours de ses premières années d'activité. Les anges musiciens de la partie supérieure sont assez comparables à ceux du grand *Christ ressuscité apparaissant à la Vierge* (vers 1597-1598 ; Bologne, San Colombano), les types des figures et leur disposition se retrouvent dans *L'Assomption de la Vierge*[18] *(fig. 17)*, et plusieurs figures se rattachent d'autre part au répertoire de l'Albane des années 1600, comme le berger tenant un âne, la Vierge au visage à moitié plongé dans l'ombre, ou l'Enfant Jésus, presque identique à celui de sa grande *Nativité de la Vierge* (vers 1599-1600 ; Rome, Musei Capitolini)[19]. Mais ni le luminisme d'inspiration corrégesque ni la répartition un peu lâche des figures ne permettent de le rattacher à ses premières œuvres romaines, à la palette claire et lumineuse, et aux compositions plus denses où les personnages sont groupés à proximité de la surface picturale. Peint peu avant le départ pour Rome au printemps 1601, empruntant plusieurs motifs à une *Adoration des bergers* d'Augustin Carrache (1584 ; Bologne, San Bartolomeo di Reno)[20], ce cuivre rend assez bien compte de la diversité des sources émiliennes de l'Albane ; toutefois, dans la savante maîtrise du contraste entre l'illumination divine du corps de l'Enfant et les faibles lueurs artificielles d'une torche et d'une lanterne, comme dans l'accord très heureux entre le traitement humain et familier d'un sujet sacré, il révèle un langage personnel pleinement affirmé.

CAT. 2

2   *L'Annonciation*

Vers 1600-1601
Cuivre. H. 0,35 ; L. 0,27.
Clamecy, musée municipal. Dépôt du Louvre, INV. 191.

HISTORIQUE : Cardinal Ludovico Ludovisi, Rome, 1623 et 1633 (?) ; André Le Nôtre ; donné à Louis XIV, 1693 ; galerie des tableaux du Roi à Versailles, 1695 ; petit cabinet du Roi à Versailles, 1709-1710 ; surintendance des Bâtiments à Versailles, 1760 ; exposé au Musée central des Arts à partir de 1801 ; déposé au musée de Clamecy, 1895.
BIBLIOGRAPHIE : Loire, 1996, p. 379-380 ; Puglisi, 1999, n° 12.

Première version probable d'un sujet traité à plusieurs reprises par l'Albane, ce tableau peint sur cuivre, dont un nettoyage ancien trop brutal pourrait expliquer l'état de conservation décevant, reste très peu connu. Entré dans la collection de Louis XIV grâce au don d'André Le Nôtre (1613-1700), c'est l'un des sept tableaux de l'artiste offerts au roi par le jardinier, parmi un ensemble de vingt-et-un tableaux, trente-et-un bronzes et quatorze marbres. On ignore les raisons précises de cette donation qui ne concernait qu'une partie de sa collection. Elle intervint peu après qu'il eut reçu l'ordre de Saint-Michel, au même moment que Jules Hardouin-Mansart, avec une pension annuelle reversible à sa femme après sa mort : il entendait peut-être témoigner ainsi de sa reconnaissance au souverain qui l'avait toujours soutenu et apprécié. En outre, déjà âgé de quatre-vingts ans, sans héritier direct, il pourrait avoir offert les pièces les plus remarquables de sa collection afin d'éviter leur dispersion. Succédant en 1637 à son père Jean comme « Premier jardinier du roi au grand jardin des Tuileries », nommé « Conseiller du Roi et Contrôleur général des Bâtiments de Sa Majesté, jardins, arts et Manufactures de France » en 1657, Le Nôtre avait réuni des biens immobiliers considérables et une collection régulièrement citée comme l'une des plus remarquables que l'on pût voir à Paris. Véritable cabinet de curiosités dont le contenu est révélé précisément par son inventaire après décès (1700), elle comprenait alors tapisseries, médailles, cabinets chinois, porcelaines, et marbres, avec quatre-vingt-neuf bronzes et cent trente-quatre tableaux. La moitié des tableaux restaient alors anonymes mais on en trouvait neuf de l'Albane, la prisée la plus haute étant celle d'une *Sainte Famille* sur toile, qu'il légua à son beau-frère, et dont on a perdu la trace. Un tiers exactement des tableaux donnés au roi en 1693 revenaient à l'Albane, tous de petites dimensions et généralement peints sur cuivre. Le roi possédait déjà une vingtaine d'œuvres de l'artiste, la plupart acquises depuis peu, et Le Nôtre avait sans doute souhaité honorer un goût particulier du souverain pour des tableaux au faire précieux et à la dévotion aimable. On reste toutefois étonné par le nombre d'œuvres de l'Albane entrées en possession du jardinier du roi, peut-être en partie à la suite de la mission officielle effectuée à Rome en 1679 afin de rendre compte d'un projet du Bernin pour une statue équestre de Louis XIV et du fonctionnement de l'Académie de France : des contacts étroits avec le milieu des amateurs romains, en particulier Carlo Maratta et Domenico Guidi, pourraient lui avoir permis d'accroître sa collection, même si nombre de ses tableaux furent probablement acquis à Paris au cours des années 1650-1670 (cat. 6, 10-11, 17-18).

Ce cuivre ayant été confondu avec une œuvre de même sujet peinte sur toile, de dimensions voisines et revenant sans doute à Augustin Carrache (fig. 18), sa provenance est restée longtemps obscure et il a été donné tour à tour à Ludovic ou Annibal Carrache ; c'est sous le nom de ce dernier qu'il fut exposé au Louvre avant d'être mis en dépôt à Clamecy. Diverses particularités stylistiques confirment pourtant l'attribution à l'Albane formulée dès 1693 : les types de la Vierge et de l'ange se retrouvent ici aussi dans les premières œuvres bolonaises, tels *Le Christ ressuscité*

apparaissant à la Vierge de San Colombano ou *L'Assomption de la Vierge* de San Domenico *(fig. 17)* ; avec une *Sainte Famille* sur cuivre de la galerie Doria Pamphilj[21] *(fig. 19)*, cette toile de petit format fournit d'autre part des points de comparaison probants quant au traitement des draperies, dont l'agitation et l'effet décoratif des plis soulignés par de petits rehauts de couleur excluent la parenté d'Annibal. L'ascendant d'Augustin Carrache pourrait là encore avoir été déterminant : malgré sa simplicité, la construction présente des analogies frappantes avec *L'Annonciation* de celui-ci *(fig. 18)*, tant pour l'implantation des figures dans l'espace s'ouvrant sur un fond de paysage que pour la position de la Vierge ou le prie-Dieu orné. Mais tandis que l'aîné donnait une présence crédible aux deux figures, avec la définition rigoureuse de la profondeur grâce au pavement, la construction de l'Albane paraît moins sûre, comme si le déplacement de l'ange dans un plan parallèle à la surface du tableau traduisait encore, à la fin de ses années de formation, une maîtrise incertaine de la répartition des figures dans l'espace. Agenouillée devant un prie-Dieu sur lequel est posé un livre d'heures, la Vierge reçoit la salutation de l'ange Gabriel. Vêtu d'une tunique violette rehaussée de jaune et retenue sur son épaule par une pierre taillée en diamant, il tient une fleur de lys de la main droite et désigne de la gauche le ciel où apparaît Dieu le Père ; vêtu de rouge, celui-ci est entouré d'une cohorte d'anges et envoie sur Marie la colombe de l'Esprit Saint. Avec le Créateur, généralement présent dans les Annonciations peintes par les maniéristes bolonais du XVIe siècle mais omis par Annibal et Ludovic Carrache, celle-ci affirme la doctrine de la Trinité au moment de l'Incarnation.

Fig. 18
Augustin Carrache,
L'Annonciation, vers 1600 (?),
Paris, musée du Louvre.

CAT. 3

3 La Déploration sur le corps du Christ

Vers 1602
Cuivre. H. 0,437 ; L. 0,317.
Paris, musée du Louvre. Inv. 199.

HISTORIQUE : Cardinal Jules Mazarin, Paris, 1653 et 1661 ;
vendu par ses héritiers à Louis XIV, 1665 ; petite galerie
du Roi à Versailles en 1695, 1709-1710 et 1737 ;
surintendance des Bâtiments à Versailles, 1760, 1784 et
1794 ; transféré de Versailles au Louvre, 1797 ; exposé au
Musée central des Arts à partir de 1798.
BIBLIOGRAPHIE : Puglisi, 1983, n° 11 ; Loire, 1996, p. 24, 83-
86, repr. couleurs ; Puglisi, 1999, n° 15.

Rendu récemment à l'Albane, ce tableau régulièrement exposé au Louvre depuis la création du musée
sous le nom d'Annibal Carrache figurait pourtant
sous celui de l'Albane dans deux inventaires des collections Mazarin. Un temps donné à un hypothétique
« Maître de l'Assomption de San Domenico », auteur
de l'une des toiles de la série des quinze Mystères du
Rosaire de l'église San Domenico de Bologne (fig. 17),
il s'apparente par ailleurs à deux tableaux sur cuivre

de la galerie Doria Pamphilj de Rome (La Sainte
Famille, fig. 19 ; Saint François[22]), offrant des dimensions comparables, une construction organisée autour
d'un acteur central, et situant les figures dans un
espace restreint et peu profond, à proximité de la sur-

Fig. 19
La Sainte Famille,
vers 1600-1601,
Rome, Galleria Doria Pamphilj.

face picturale. La mention, dès 1603, sous le nom de l'Albane, des deux cuivres cités invitait à lui rendre cette *Déploration* pour laquelle d'autres œuvres bien documentées fournissent des éléments de comparaison probants : le traitement des draperies se retrouve dans *La Vierge à l'Enfant avec les saintes Catherine et Madeleine* (fig. 12) et la Madeleine assise au premier plan est très proche de la femme agenouillée à gauche de *La Nativité de la Vierge* (vers 1600 ; Rome, Musei Capitolini). A l'évidence, la palette claire – des roses, des jaunes et des bleus profonds – la situe plutôt au voisinage du second tableau d'autel mais la facture assez libre, non exempte de maladresses ou d'imprécisions, dans le traitement des mains en particulier, permet de la placer juste avant, ou un peu après l'entrée de l'Albane dans l'entourage d'Annibal. Par la suite, lors de sa collaboration la plus active avec le peintre plus âgé, sur le chantier de la chapelle Herrera à l'église San Giacomo degli Spagnuoli (vers 1605-1606) et pour les lunettes Aldobrandini (vers 1604-1613), sa touche deviendra plus précise et sa couleur plus froide.

Absente des Evangiles, la scène s'intercale entre *La Déposition de croix* et *La Mise au tombeau*. La figure de Nicodème, acteur de ces deux autres épisodes et traditionnellement présent dans la Déploration, a été écartée, probablement par souci d'équilibrer une composition fortement centrée en disposant les autres protagonistes de manière symétrique autour du Christ. D'une blancheur livide, celui-ci est assis plutôt que couché, et son attitude s'inspire de celle qu'il a habituellement dans la scène de *L'Ensevelissement par les anges*, qui le présente assis sur le rebord du sarcophage, le torse vertical. Abattue, peut-être évanouie, la Vierge s'appuie sur son épaule, et l'une des saintes femmes se penche vers elle avec compassion. Assise à droite du Christ, ses doigts enlacés aux siens, la Madeleine, identifiable grâce au vase de parfum, semble lui parler ; se penchant également vers le Christ, Joseph d'Arimathie se tient debout à gauche ; de l'autre côté, la tête appuyée sur la main, les yeux levés vers le ciel, saint Jean s'abandonne dans une méditation pleine d'espoir. D'une composition très élaborée où le paysage ne joue encore qu'un rôle mineur, donnant à chaque acteur une attitude pathétique mais dépourvue d'emphase, cette œuvre de dévotion révèle un grand souci d'équilibre de la gamme chromatique, surtout dans les draperies. En ce sens, elle annonce bien, au tout début de la carrière romaine de l'Albane, ses succès futurs comme auteur de petits tableaux de cabinet.

4   *Latone et les paysans de Lycie*

Vers 1604
Toile. H. 0,75 ; L. 0,70.
Dole, musée municipal. Dépôt du Louvre, Inv. 21.

HISTORIQUE : La Feuille ; vendu à Louis XIV, 1671 ; chambre du billard à Versailles en 1695 ; petit appartement du Roi à Versailles, 1709-1710 ; exposé au Musée royal à partir de 1830 ; déposé au musée des Beaux-Arts de Dole, 1872.
BIBLIOGRAPHIE : Van Schaack, 1969, n° 58 ; Puglisi, 1983, n° 15 ; Loire, 1996, p. 376-377 ; Puglisi, 1999, n° 23.
EXPOSITIONS : Chambéry, 1995, p. 110-111, repr. couleurs.

On sait peu de choses sur La Feuille, le premier propriétaire connu du tableau qui le vendit au roi en 1671. Il figurait dans un lot d'une trentaine d'œuvres dont certaines, importantes, de Lotto, Titien, Rembrandt ou Rubens, voisinaient avec d'autres plus secondaires, aucune des trois données à l'Albane ne pouvant notamment être considérée comme majeure (voir cat. 16, 22). Longtemps conservé à Versailles, il pouvait y être comparé au groupe de la fontaine de Latone sculpté par les frères Balthazar et Gaspard Marsy pour les jardins et achevé dès 1670, mais il est peu probable qu'il en ait inspiré la figure principale. Inventorié en 1683 comme étant en largeur (0,81 x 0,66), il fut décrit en 1709 avec un format rond (D. 0,84) : il avait été mis en pendant avec un autre tableau de l'Albane, un *Adam et Eve chassés du Paradis* (Montpellier, musée Fabre)[23], plus tardif et peint sur bois. Ces modifications de format sont sans doute en partie responsables de l'état de présentation décevant de ce tableau, que l'*Inventaire Napoléon* qualifiait déjà, sous l'Empire, de « très fatigué ». Parfois considéré comme une simple copie, il s'intègre en fait très bien à l'œuvre de l'Albane, au début de sa période romaine. Il y a des analogies certaines entre les musculatures exagérées des personnages et celles des fresques du palais Fava à Bologne où il avait travaillé vers 1595-1596 ; bien plus significative est cependant la reprise de l'*Hercule portant le globe terrestre* peint par Annibal Carrache au *Camerino* du palais Farnèse (1595)[24] dans la figure de l'homme agenouillé à droite ; l'Albane réutilisera ce motif beaucoup plus tard, dans un projet pour une gravure de Francesco Villamena, mais à cette époque, l'emprunt confirme une indication de Bellori (1672), selon lequel il avait copié cette fresque. Si l'importance nouvelle qu'il donne alors à la figure virile peut avoir été stimulée par la découverte des fresques de Michel-Ange à la chapelle Sixtine, c'est bien l'étude des œuvres romaines d'Annibal Carrache qui fut la plus déterminante. Malgré le manque de cohésion des nus mascu-

lins, qu'il peindra toujours avec moins de succès que le corps féminin, la volonté de monumentalité et de lisibilité est sensible ; quant à l'intérêt accru pour le paysage qui se déploie en arrière avec une ampleur inédite, il traduit lui aussi l'ascendant des œuvres romaines de son aîné.

Il s'agirait donc de l'un des tout premiers thèmes ovidiens peints par l'Albane (Ovide, *Métamorphoses*, VI, 314-381) : maîtresse de Jupiter, mère de Diane et d'Apollon, Latone avait fui en Lycie

Fig. 20
Latone et les paysans de Lycie,
vers 1650-1660,
Lugano, collection particulière.

pour échapper à la jalousie de Junon ; lorsque des paysans l'empêchèrent de boire à leur étang, elle les transforma en grenouilles. Au centre de la composition, assise en hauteur sur l'axe de symétrie et la seule figure colorée, Latone se découpe sur le fond de paysage où un gros arbre souligne son rôle d'actrice principale. Protégeant ses enfants dont le poids semble compromettre son équilibre, elle implore encore les paysans. Inscrites dans un mouvement circulaire, leurs attitudes variées rendent compte des différents moments de l'histoire : certains sont encore au travail à droite, deux autres la repoussent et un cinquième brouille l'eau afin de l'empêcher d'y boire tandis qu'un dernier, à tête de grenouille, lève la main dans un geste faisant écho à celui de Latone. Malgré l'absence de vraisemblance dans le rapport entre les corps disproportionnés et le paysage, l'Albane est parvenu à résumer efficacement les prémices de l'épisode et sa conclusion dramatique ; dans une autre version beaucoup plus tardive du même sujet[25] *(fig. 20)*, il réduira l'échelle des figures qui s'intégreront davantage dans le paysage mais au détriment de l'exposition narrative.

5   *Loth et ses filles*

Vers 1615
Cuivre. H. 0,42 ; L. 0,84.
Montpellier, musée Fabre. Inv. 836.4.1.

HISTORIQUE : Legs Antoine Valedau (1777-1836), 1836.
BIBLIOGRAPHIE : Van Schaack, 1969, n° 126 ; Puglisi, 1983,
n° 81 ; Brejon de Lavergnée et Volle, 1988, p. 27, 39, repr.
couleurs ; Puglisi, 1999, n° 46.

La provenance de ce cuivre demeuré dans un excel-
lent état de conservation reste inconnue mais diverses
mentions d'œuvres sur ce sujet montrent que l'Albane a dû le traiter à plusieurs reprises. La première,
décrite par Malvasia (1678) à Bologne, au rez-de-
chaussée de la Casa Dal Bello, montrait « Loth assis,
presque nu, tenant une de ses filles embrassée pendant que l'autre remplit de vin une coupe qu'il tient
de la main droite ». Citée au XVIIIe siècle par Luigi
Crespi comme ornant un manteau de cheminée, cette
fresque était alors donnée à Giovanni Galli Bibbiena,
un élève de l'Albane, mais on ignore son sort ultérieur. L'on a pu supposer que le cuivre de Montpellier
reflétait ce décor disparu : toutefois la description ne
coïncide pas exactement, et si le sujet convient bien au
décor d'une cheminée, le format de la composition
semble trop allongé pour se rapporter à une telle des-
tination. Quant aux autres *Loth et ses filles* de l'Albane, on ignore tout de celui que possédait Jean Ney-

ret de La Ravoye à Paris en 1692 et celui de Pierre
Crozat (1665-1740) était sur toile ; on ne sait rien non
plus du cuivre que possédait le duc de Lesdiguières à
Grenoble en 1677, et aucun des quatre tableaux que
l'on peut actuellement repérer dans des ventes aux
enchères du début du XIXe siècle ne peut être identifié
avec celui de Montpellier[26].

Le sujet biblique est raconté dans la Genèse
(XIX, 30-38) : craignant de rester seules sur la terre
sans pouvoir perpétuer leur peuple après la destruc-
tion de Sodome et Gomorrhe, les filles de Loth
enivrèrent leur père afin de lui faire commettre un
double inceste ; Moab et Amnon, les deux enfants qui
naîtront de cette union, seront à la fois les fils et
petits-fils de Loth. Souvent traité au XVIIe siècle dans
des scènes à l'érotisme hardi, opposant la vieillesse
décrépite de Loth à la beauté sensuelle de ses deux
filles, il est ici dépourvu de toute gravité fiévreuse ;
sans l'indication de l'incendie des deux villes mau-
dites par Dieu, il serait difficile d'imaginer que le
vieillard paisiblement allongé, comme les deux
jeunes femmes élégantes et décemment vêtues se
préparent à une passion illicite. D'une ampleur nouvelle chez l'Albane, le paysage occupe la plus grande
partie de la surface peinte et la lueur de l'incendie y
répond aux draperies claires des figures. Pourtant, la
structure pyramidale de leur groupe placé au pre-

CAT. 5

mier plan ainsi que les poses gracieuses et les vêtements colorés leur confèrent une importance comparable : cet équilibre serein traduit bien, à la fin de son séjour romain, la maîtrise à laquelle il était alors parvenu dans la création de tableaux d'amateurs, lesquels, bien plus que ses retables d'église, assureront désormais sa réputation.

6 *Actéon métamorphosé en cerf*

Vers 1617
Cuivre. H. 0,520 ; L. 0,615.
Paris, musée du Louvre. Inv. 15.

HISTORIQUE : Ferdinand Gonzague, Mantoue, 1627 (?) ; André Le Nôtre ; donné à Louis XIV, 1693 ; collection de Louis XIV à Versailles, 1695 ; hôtel du duc d'Antin à Paris, 1715 ; collection du roi à Versailles, 1737 ; surintendance des Bâtiments à Versailles, 1760 et 1784 ; transféré de Versailles au Louvre, août 1797 ; conservé au Musée central des Arts à partir de 1797.
BIBLIOGRAPHIE : Van Schaack, 1969, n° 117 ; Puglisi, 1983, n° 82 ; Loire, 1996, p. 67-70 ; Puglisi, 1999, n° 47, repr. couleurs.
EXPOSITION : Bologne, 1962, n° 38.

L'Albane a peint plusieurs versions de ce sujet (voir cat. 22) mais celle-ci est la seule peinte sur cuivre qui soit actuellement connue. Elle peut être rapprochée de la mention d'un *« quadretto »* auquel Ferdinand Gonzague, le duc de Mantoue, faisait allusion dans une lettre de 1622, et sans doute identique à *« un quadro di rame »* inventorié parmi ses biens en 1627. Le tableau a généralement été daté juste avant, ou peu après, le retour de l'Albane à Bologne en 1617 à l'issue de son séjour romain ; on y relève en effet des parentés certaines avec les fresques du palais Verospi (vers 1611-1612) et les quatre scènes de l'*Histoire de Vénus* de la galerie Borghèse (vers 1617)[27], et caractéristiques de cette époque sont les corps nus doucement modelés, un rapport raffiné des ombres et des lumières, la palette plus claire que celle de ses premières œuvres romaines, et le rôle encore secondaire dévolu au paysage.

Tiré des *Métamorphoses* d'Ovide (III, 138-251), le sujet montre la transformation en cerf du chasseur Actéon alors qu'il vient de surprendre Diane, la déesse des forêts, se baignant avec ses nymphes ; poursuivi par ses propres chiens dont il ne pourra se faire reconnaître, il sera la victime de ses compagnons de chasse : « Et ce fut seulement lorsqu'il perdit la vie par d'innombrables blessures que fut, dit-on, satisfaite la colère de Diane, la déesse au carquois. » Plaçant la scène au bord d'un ruisseau ombragé par de grands arbres, l'Albane a fortement contracté le récit mythologique puisque l'on assiste au début de la métamorphose d'Actéon, tandis que deux des nymphes étendent avec empressement un grand voile pour se masquer et dérober Diane au regard du chasseur. Les nymphes qui l'accompagnent ne sont que sept, quand Ovide en mentionnait dix, et la métamorphose semble moins s'accomplir sous l'effet de l'aspersion mentionnée par son texte que sous celui du geste impérieux de Diane désignant le curieux. Placée au centre de la composition, ses compagnes formant autour d'elle un groupe harmonieux, elle est, plutôt qu'Actéon lui-même, le véritable protagoniste de la scène. Mais, loin de l'expression de la colère décrite par Ovide, son visage laisse paraître une calme détermination qui contraste avec l'agitation des nymphes ; comme pour celles-ci, l'Albane s'est particulièrement attaché à détailler son corps lumineux et porcelainé : le sujet est avant tout prétexte à décrire des nus voluptueux, au cœur d'une nature idyllique.

On a pu souligner des liens probables entre cette composition et une gravure d'Antonio Tempesta figurant dans une édition illustrée des *Métamorphoses* (1606) : dans une attitude très voisine, Diane y désignait Actéon en cours de transformation, et la nymphe vue de dos, à gauche, était assez semblable, mais les nymphes sont plus nombreuses et toutes les figures se sont rapprochées du bord du tableau au détriment du paysage. L'Albane a également transformé son modèle par des leçons tirées d'Annibal Carrache et de Titien. Au premier il a emprunté l'exposition sensuelle de nus féminins au cœur d'une

Fig. 21
Annibal Carrache,
Paysage avec Diane et Callisto,
vers 1598-1599,
Mertoun, Saint Boswell's
(Roxburghshire),
collection du duc de Sutherland.

CAT. 6

nature harmonieuse[28] *(fig. 21)* et le « type menu des nus féminins doucement dessinés, dont la peau perlée se découpe sur un fond de feuillage » (Puglisi). Quant à l'ascendant de Titien sur l'œuvre de l'Albane, sensible dès le séjour romain, sans doute par l'intermédiaire d'œuvres du maître vénitien présentes dans les collections romaines, il peut être relevé dans la pose de Diane, dérivée de la fameuse *Diane et Actéon* (Edimbourg, National Gallery of Scotland), dont la composition devait lui être accessible par des copies ou gravures, mais surtout dans l'ambiance colorée nouvelle et dans la facture nettement plus souple. Opérant la synthèse réussie de ces diverses sources, qui révèlent la variété des intérêts de l'Albane au retour de Rome, ce tableau constitue une interprétation originale et élégante du mythe ; il n'est guère surprenant qu'il ait été à l'origine de nombreuses répliques dont la meilleure, une toile

conservée à Dresde qui reprend la composition en l'inversant, servira à son tour de prototype pour d'autres variantes (cat. 22).

7 *L'Annonciation*

Vers 1620
Cuivre. H. 0,19 ; L. 0,14.
Paris, musée du Louvre. Inv. 3.

HISTORIQUE : Bersan Bauïn ; vendu à Louis XIV avec *Le Christ et la Madeleine* (cat. 8), 1685 ; donné à Monseigneur, son fils, 1685 ; petit cabinet de l'appartement frais de Monseigneur à Meudon, début du XVIIIe siècle ; cabinet des tableaux du Roi à Versailles, 1709-1710 ; surintendance des Bâtiments à Versailles, 1784 et 1794 ; transporté de Versailles au Louvre, 1797 ; exposé au Musée central des Arts à partir de 1798 ; déposé au musée des Beaux-Arts de Dijon, 1896-1997.
BIBLIOGRAPHIE : Van Schaack, 1969, n° 56 ; Puglisi, 1983, n° 101 ; Loire, 1996, p. 371 ; Puglisi, 1999, n° 53.

Cette *Annonciation* a été parfois confondue avec l'autre version du même sujet acquise elle aussi pour la collection royale en 1685, mais peinte sur toile et de dimensions supérieures (cat. 9). Les deux compositions, très proches, ne se distinguent que par quelques détails : le fond du cuivre est dominé par des teintes claires, avec une indication plus précise de la profondeur spatiale, notamment par des rais de lumière marqués, quand celui de la toile de Dijon est uniformément sombre. D'autres différences peuvent être notées dans le détail des lys que tient l'archange Gabriel, dans la manche droite de son vêtement descendant au-dessous du coude dans le cuivre, mais aussi dans les draperies, plus « chiffonnées » dans celui-ci, aux contours plus dessinés et plus détaillés dans la toile. Les deux tableaux ont été acquis par le roi à quelques semaines d'intervalle sur le marché d'art parisien, la toile au marchand Moule, le 27 mai 1685, pour 1 650 livres, le cuivre à Bersan Bauïn, en juillet-août 1685, avec *Le Christ et la Madeleine* (cat. 8) et un *Renaud et Armide* du Dominiquin (Louvre), pour 5 200 livres. On peut s'étonner que des sommes aussi élevées aient été dépensées pour des œuvres constituant manifestement des doublons : le premier tableau avait-il plu au point

que l'on fit sans hésiter l'acquisition du second ? L'achat postérieur du cuivre était-il motivé par sa présence dans un lot où celle de son pendant lui donnait une plus grande valeur ? Les deux œuvres avaient-elles été acquises par Louis XIV pour être offertes à Monseigneur, ou est-ce leur arrivée presque simultanée dans la collection royale qui justifia le don immé-

Fig. 22
L'Annonciation, 1632,
Bologne, San Bartolomeo.

diat à son fils ? Seule la grande faveur dont jouissaient alors les tableaux de l'école bolonaise, leur rareté sur le marché parisien au cours des années 1680, le goût de l'époque, et peut-être celui du roi en particulier, permettent d'expliquer cette double acquisition.

On ne sait rien des deux *Annonciation* avant 1685 et Malvasia, le biographe du peintre, a créé une certaine confusion à ce sujet en citant une petite *Annonciation* de l'Albane qui appartenait à Louis XIV, en indiquant qu'elle avait été précédemment en possession du marquis de Ménard[29]. Il la rapprochait d'une grande *Annonciation* (fig. 22) mise en place en 1632[30]. Or, les deux *Annonciation* des collections royales ne furent acquises qu'en 1685 et présentent des compositions assez différentes ; quant à celle de « Ménard », sans doute Charron de Ménart, le beau-frère de Colbert, on ignore ses dimensions comme son sort. Dite « dal bell' angelo », car très tôt louée pour la figure de l'ange Gabriel, « le plus beau qui ait jamais été peint ou qui puisse jamais l'être », la grande toile de Bologne avait cependant été critiquée pour le regard baissé de la Vierge, et pour la position inférieure et le vol suspendu de l'ange. Dans une longue lettre adressée en 1637 à l'humaniste Orazio Zamboni, l'Albane prit la peine de répondre à ces objections : il avait voulu insister sur l'attitude modeste de la Vierge, tandis que l'ange, ambassadeur de Dieu le Père qui domine la scène, s'inclinait devant elle en une humble révérence. Présentant une composition moins élaborée, ce cuivre a certainement été exécuté quelques années plus tôt, une facture plus sommaire et des accents coloristes marqués permettant de le situer vers 1620. Malgré la réponse argumentée du peintre en 1637 à propos du retable bolonais, on ne peut s'empêcher de juger sa composition plus familière et moins solennelle : réduite à deux protagonistes qu'elle réunit dans une grande proximité, elle montre leur rencontre dans un cadre familier évoqué par la tenture violette et le prie-Dieu. Agenouillée dans une attitude de calme surprise, la Vierge accueille avec confiance le messager céleste, alors qu'elle est debout et altière dans le grand tableau, trois anges se substituant ici à la nuée de ce dernier ; quand l'ange Gabriel du grand tableau bolonais sera enveloppé dans un savant tourbillon de draperies aériennes, et comme précipité par un mouvement impérieux, son attitude est encore ici toute de retenue. Mais en dépit de ses dimensions modestes, le cuivre comporte plusieurs motifs qui seront développés dans l'œuvre monumentale.

8 *Le Christ apparaissant à la Madeleine*

Vers 1620
Cuivre. H. 0,19 ; L. 0,14.
Paris, musée du Louvre. INV. 7.

HISTORIQUE : Everhard Jabach (?) ; voir cat. 7 pour la suite de l'historique.
BIBLIOGRAPHIE : Van Schaack, 1969, n° 132 ; Puglisi, 1983, n° 100 ; Loire, 1996, p. 45-48 ; Puglisi, 1999, n° 54.
EXPOSITIONS : Paris, 1960, n° 504 ; Bologne, 1962, n° 51.

La présence d'une copie de cette composition dans l'inventaire des biens du marchand colonais Everhard Jabach dressé en 1695 permet de supposer que celui-ci en avait été le propriétaire. Parfois mise en doute, sa relation avec *L'Annonciation* (cat. 7) ne fait aucun doute, les deux cuivres ayant des figures de même échelle, des constructions qui se complètent, et des traitements stylistiques très comparables. Le sujet, tiré de l'Evangile selon Saint Jean (XX, 11-17), montre le Christ apparaissant à la Madeleine après sa Résurrection : on distingue à droite deux anges près du sépulcre vide. L'on peut s'étonner de le trouver associé à *L'Annonciation* alors que les deux thèmes ne présentent pas de lien iconographique traditionnel : on trouve à plusieurs reprises chez l'Albane des ensembles réunissant des thèmes sans lien direct mais adaptant, dans un nouveau contexte, des compositions issues de cycles antérieurs. Les sujets de cette paire sont si courants dans son œuvre qu'il paraît inutile de chercher des antécédents à leurs compositions. Il est possible que le peintre ait voulu opposer une scène d'intérieur, intimiste, à une scène de plein air, prenant place au milieu d'un paysage lumineux et à l'horizon lointain, sur lequel la figure du Christ se

Fig. 23
Noli me tangere, vers 1644,
Bologne, Santa Maria dei Servi.

détache avec une ampleur monumentale. Cependant, le rapport entre les deux tableaux vient surtout de ce qu'ils représentent l'un et l'autre des apparitions miraculeuses, à des moments importants et extrêmes de l'histoire du Christ : la première à la Vierge, dont la pureté virginale est évoquée par les lys apportés par l'ange, la seconde à la pécheresse repentie, identifiable par le vase de parfums ; leur association se justifie enfin par une sorte de symétrie théologique : à l'événement visible au cours duquel s'accomplit l'invisible mystère de l'Incarnation, prélude de la Rédemption, répond la manifestation de la libération de l'Âme de la chair, à travers le Christ vainqueur de la mort.

Deux estampes de Guillaume Chasteau confortent d'ailleurs l'hypothèse d'une paire de pendants. Malgré leurs variantes, elles s'inspirent certainement des cuivres de la collection royale puisqu'elles furent incluses en 1686 dans le recueil officiel des *Tableaux du Roy*, et l'on imagine mal que cette version y ait été confondue avec une autre. Toutes deux sont inversées, de dimensions voisines (0,505 x 0,640 pour *Le Christ et la Madeleine* ; 0,512 x 0,688 pour *L'Annonciation*), et présentent des variantes assez sensibles par rapport aux tableaux. Leurs compositions, organisées en largeur – par extension du paysage dans la première, par ajout d'un paysage vu à travers une fenêtre dans la seconde –, doivent néanmoins dériver des deux cuivres, sans qu'il soit pour autant nécessaire de supposer des modifications de formats ultérieures. Non datées mais antérieures à la mort de Chasteau (1683), elles pourraient avoir été réalisées dans un but commercial, afin d'attirer l'attention sur deux compositions particulièrement séduisantes alors sur le marché de l'art parisien.

Là encore, la composition comporte plusieurs éléments qui seront développés dans un grand tableau d'autel tardif[31] (*fig. 23*), et repris par la suite dans de nombreuses variations de petit format. La construction comme le traitement pictural restent cependant distincts : les deux figures dominent nettement le paysage, le geste de la Madeleine créant entre elles la sensation d'un lien physique imminent, quand un espace plus grand les séparera dans le retable, où un vaste ciel, les chérubins et l'ange tenant un étendard dans la partie supérieure ouvriront la composition en hauteur. Mais surtout, la figure du Christ, sculpturale et comme en arrêt, fera place sur le tableau bolonais à un mouvement souple et dansant, auquel répondront désormais les draperies flottantes des vêtements de la Madeleine. Ici, l'intégration heureuse des figures gracieuses dans un paysage à l'atmo-

CAT. 9

sphère sereine comme la palette restreinte, évitant les ruptures de tons brusques et privilégiant des accords chromatiques délicats, notamment dans les bleus du ciel ou les vêtements de la Madeleine, répondent parfaitement aux qualités de *L'Annonciation* : d'une ambition modeste, cette paire de pendants constitue l'une des plus belles réussites de l'Albane après son retour à Bologne en 1617.

9 *L'Annonciation*

Vers 1625-1635
Toile. H. 0,57 ; L. 0,43.
Dijon, musée des Beaux-Arts. Dépôt du Louvre, INV. 2.

HISTORIQUE : Moule ; vendu à Louis XIV, 1685 ; donné à Monseigneur, son fils, août 1685 ; collection de Monseigneur à Meudon ; cabinet des tableaux du Roi à Versailles, 1695 ; appartement frais à Meudon, 1706 ; cabinet des tableaux du Roi à Versailles, 1709-1710 ; galerie des tableaux du Roi à Versailles, 1737 ; cabinet du billard à Versailles, vers 1750 ; surintendance des Bâtiments à Versailles, 1784, 1788 et 1794 ; transporté de Versailles au Louvre, août 1797 ; exposé au Musée central des Arts à partir de 1798 ; déposé au château de Maisons-Laffitte, 1919-1944 et 1948-1989, et au musée des Beaux-Arts de Dijon, 1997.
BIBLIOGRAPHIE : Van Schaack, 1969, n° 115 ; Puglisi, 1983, n° 102 ; Loire, 1996, p. 42-45 ; Puglisi, 1999, n° 53.V.a.

Acquis par Louis XIV quelques semaines avant le cuivre de même sujet (cat. 7), cette toile a souvent été considérée comme plus précieuse et elle a longtemps passé pour en être le prototype. A une époque où les inventaires des peintures du musée du Louvre donnaient des évaluations marchandes pour les tableaux, elle était estimée 6 000 francs sous l'Empire et 4 000 francs à la Restauration, contre 2 400 francs puis 2 000 francs pour le cuivre : ces valeurs décroissantes reflètent probablement les jugements contrastés qui furent émis au début du XIXᵉ siècle sur ces deux tableaux, et qui préludaient à leur relégation progressive au rang d'œuvres « secondaires ». Une connaissance plus fine de la chronologie de l'œuvre de l'Albane permet désormais d'inverser cette relation : si le cuivre paraît bien avoir été peint vers 1620, il précéderait la toile que sa facture plus détaillée, le modelé plus rond, et les draperies aux plis plus aigus invitent à considérer comme postérieur.

10 *Apollon et Daphné*

Vers 1620-1625
Cuivre. H. 0,175 ; L. 0,355.
Paris, musée du Louvre. INV. 18.

HISTORIQUE : André Le Nôtre ; donné à Louis XIV, 1693 ; petit cabinet proche de la galerie du Roi à Versailles, 1695 ; hôtel du duc d'Antin à Paris, 1715-1736 ; galerie des tableaux du Roi à Versailles, 1737 ; exposé au palais du Luxembourg, 1750-1779 ; magasins des tableaux du Roi au Louvre, 1785 ; exposé au Muséum des Arts à partir de 1793.
BIBLIOGRAPHIE : Van Schaack, 1969, nº 136 ; Puglisi, 1983, nº 179 ; Loire, 1996, p. 73-76 ; Puglisi, 1999, nº 58, repr. couleurs.
EXPOSITIONS : Paris, 1960, nº 502 ; Bologne, 1962, nº 37.

Fig. 24
Atelier de l'Albane,
Apollon et Daphné,
localisation actuelle inconnue.

Le sujet du tableau est tiré des *Métamorphoses* d'Ovide (I, 452-567) : raillé par Apollon pour l'usage qu'il faisait de son arc, l'Amour, fils de Vénus, tira deux flèches dont l'une faisait naître l'amour tandis que l'autre le mettait en fuite. Fille du fleuve Pénée, Daphné fut blessée par le second trait mais Apollon, atteint par le premier, voulut la rejoindre pour lui déclarer sa passion ; fuyant pour lui échapper, la nymphe demanda secours à son père et fut transformée en laurier au moment où Apollon parvenait à l'atteindre. Les peintres ont généralement représenté ce dernier instant, en montrant le début de la transformation de Daphné, mais l'Albane a peint un moment antérieur de la course d'Apollon, quand « les vents dévoilaient le corps de Daphné, leur souffle qu'elle affrontait agitait ses vêtements qu'elle offrait de face à leurs assauts, et la brise légère repoussait en arrière ses cheveux ; la fuite l'embellissait encore ». La main droite tendue vers la nymphe qui se retourne pour mesurer son avance, Apollon semble lui repro-

CAT. 10. Repr. coul. p. 35.

cher son indifférence ; dans les airs, sur un nuage, l'Amour rit de son infortune. Devenu un motif décoratif, le mouvement de la poursuite est souligné par le format très allongé du support et les deux protagonistes se détachent sur un vaste paysage lumineux aux lointains brumeux, évoquant, en dépit de leur légèreté, la frise d'un bas-relief qui « ne détonnerait pas dans une anthologie de la glyptique antique » (R. Longhi).

La date du tableau a fait l'objet d'opinions assez divergentes, entre l'arrivée de l'Albane à Rome en 1601 et le milieu des années 1630. Il convient en fait de préciser que sa composition a été reproduite par Willem van Haecht (1593-1637), dans deux représentations de cabinets d'amateurs, dont la première montre un *Alexandre visitant Apelle* (La Haye, Mauritshuis), et la seconde un *Joseph et la femme de Putiphar* (localisation actuelle inconnue). Pour le premier tableau, la collection de Corneille van der Geest d'Anvers a fourni la plupart des modèles qui devaient se trouver alors dans des collections que le peintre flamand avait pu admirer en Italie, entre 1619 et 1626. Si le cuivre est nécessairement antérieur à cette date, la palette lumineuse et claire, les tonalités blondes et l'exquise finesse de la facture l'apparentent au cycle des *Quatre Éléments* (1625-1628 ; Turin, Galleria Sabauda)[32] ; on peut donc le situer bien après le retour de Rome, le raffinement de la technique miniaturiste, d'une maîtrise peut-être plus évidente que dans *L'Annonciation* et *Le Christ apparaissant à la Madeleine* (cat. 7-8) permettant de le juger légèrement postérieur à cette paire.

Il existe moins de répliques ou versions d'atelier de ce tableau que du *Salmacis et Hermaphrodite* (cat. 11) auquel il a toujours été associé. Certaines montrent les figures dans un paysage plus ample, ou encore l'Amour excitant Apollon à la course avec sa torche et le fleuve Pénée attendant paisiblement que Daphné le rejoigne[33] *(fig. 24)*. Quant aux copies anciennes, celle d'Antoinette Hérault, née Chasteau (1641-1695)[34], à la fois minutieuse et très exacte, est certainement la plus révélatrice du goût dont a joui l'œuvre de l'Albane en France dès le XVIIᵉ siècle, Lépicié (1754) précisant notamment que ce cuivre ne le cédait en rien au *Salmacis* « pour la fraîcheur du coloris & la pureté & l'élégance du dessin ».

11 *Salmacis et Hermaphrodite*

Vers 1620-1625
Cuivre. H. 0,14 ; L. 0,31.
Paris, musée du Louvre. INV. 19.

HISTORIQUE : Voir cat. 12.
BIBLIOGRAPHIE : Van Schaack, 1969, n° 137 ; Puglisi, 1983, n° 170 ; Loire, 1996, p. 76-79 ; Puglisi, 1999, n° 59.
EXPOSITIONS : Paris, 1960, n° 503 ; Bologne, 1962, n° 39.

Ce tableau a souvent été considéré comme le pendant de l'*Apollon et Daphné* mais plusieurs arguments s'opposent à ce qu'ils constituent une paire. Tous deux sont peints sur cuivre dans des dimensions inhabituelles et ils présentent une certaine cohérence dans les rapports entre le paysage et les personnages, les types des figures étant d'autre part très voisins ; montrant dans les deux cas un moment du mythe qui précède la métamorphose, ils ont en commun des thèmes ovidiens, avec des implications similaires de passions non réciproques, et l'Albane insiste dans chaque tableau sur l'aspect idyllique plutôt qu'horrible de l'histoire. Pourtant, s'ils offrent des traitements stylistiques assez proches qui permettent de les estimer contemporains, et malgré leur provenance commune, leurs différences de format sont, pour des œuvres d'aussi petites dimensions, suffisamment importantes pour mettre en doute ce statut de pendants : légèrement plus petit, le *Salmacis et Hermaphrodite* présente une composition plus allongée que l'*Apollon et Daphné* et les figures y occupent une place plus réduite par rapport au paysage ; enfin, l'Albane avait peut-être mis en pendants deux épisodes de la même histoire plutôt que des scènes sans liens iconographiques directs.

Au moment du don à Louis XIV par Le Nôtre, ce tableau passait pour illustrer la passion incestueuse

Fig. 25
Salmacis embrassant Hermaphrodite,
vers 1645-1650,
Turin, Galleria Sabauda.

CAT. 11. Repr. coul. p. 35.

de Biblis pour son frère Caunis (Ovide, *Métamorphoses*, IX, 454-667) et son véritable sujet a été rétabli au milieu du xviiie siècle (*Métamorphoses*, IV, 285-388) : fils de Vénus et de Mercure, Hermaphrodite inspira une si violente passion à Salmacis, une nymphe de Carie, que, cédant aux prières de celle-ci, les dieux les unirent en un seul corps qui conserva les deux sexes. Ici, se croyant seul, Hermaphrodite va se baigner nu dans une rivière, sous le regard de Salmacis. Moins explicite que la fusion de leurs deux corps, l'épisode pouvait être jugé plus décent. De fait, l'étreinte amoureuse a été peu représentée avant la fin du xvie siècle, sans doute parce que ses implications ouvertement sexuelles la rendaient malséante, voire incongrue. Annibal Carrache l'a bien illustrée dans un médaillon en grisaille de la galerie Farnèse mais avec une intention allégorique plutôt qu'érotique, sa composition renvoyant à une interprétation moralisante du thème, qui rappelle celle de Ludovico Dolce

Fig. 26
Sisto Badalocchio,
Salmacis et Hermaphrodite,
Rome, Galleria Pallavicini.

(1561), selon lequel « Hermaphrodite représente l'union miraculeuse de l'âme avec Dieu, en renonçant aux choses mortelles et transitoires pour s'élever à la contemplation des choses divines ». L'Albane a conçu un autre traitement du mythe qui se rattache à ce modèle[35] *(fig. 25)* et pourrait dépendre d'un tableau perdu de Ludovic Carrache : le poète Giambattista Marino avait suggéré à celui-ci de peindre Salmacis et Hermaphrodite nus et s'embrassant au milieu d'une fontaine, sans hésiter à montrer des « fantaisies obscènes et lascives » puisque son tableau resterait « dans la chambre d'un gentilhomme ». On ne sait si Ludovic Carrache a observé les suggestions du poète mais un projet de composition, connu par des dessins et copies *(fig. 26)*, est certainement à l'origine de la composition du cuivre du Louvre où l'Albane a suivi son aîné dans la figure de Salmacis repoussant le feuillage pour observer Hermaphrodite.

Partant peut-être de suggestions littéraires de Marino dont il connaissait les écrits et de modèles visuels de Ludovic, l'Albane a pu vouloir faire une paire en représentant deux moments du mythe ; plutôt que l'*Apollon et Daphné* du Louvre, le pendant de ce cuivre était donc peut-être un autre tableau disparu montrant l'étreinte de Salmacis et d'Hermaphrodite, ce que confirmerait l'existence de deux tableaux de mêmes dimensions conservés à Turin[36] Ici encore, tirant parti du support de cuivre pour mettre en œuvre une technique miniaturiste d'une étonnante virtuosité, l'Albane a peint un vaste panorama, où le feuillage opulent et une rivière serpentant vers un horizon lointain forment un cadre idyllique pour ses deux figures porcelainées ; peu de ses contemporains parviendront à donner une vision aussi lyrique de la fable ovidienne.

L'Histoire de Vénus

Les quatre épisodes de l'*Histoire de Vénus* (cat. 12-15) ont toujours été les plus fameux tableaux de l'Albane conservés en France. Considérés dès le XVIIe siècle parmi ses plus belles réussites dans le domaine de la peinture de chevalet, ils ont largement contribué à assurer sa réputation de peintre de paysages mythologiques et allégoriques, avec trois autres séries comparables. Peu avant son retour de Rome à Bologne en 1617, l'Albane avait réalisé un premier ensemble de quatre tableaux de même format pour le cardinal Scipion Borghèse (Rome, Galleria Borghese) *(fig. 27-30)* dont il devait reprendre les sujets dans la série du Louvre, commencée en 1621 pour Ferdinand Gonzague, duc de Mantoue, et terminée en 1633 pour le cardinal Jean-Charles de Médicis ; entre 1625 et 1628, il peignit les *Quatre Eléments* (Turin, Galleria Sabauda) pour le cardinal Maurice de Savoie ; quelques années plus tard, enfin, il laissa inachevée une suite de sujets mythologiques destinés à Jacques Le Veneur, comte de Carrouges, dont deux éléments sont conservés en France (cat. 17-18).

Si le cycle du Louvre a parfois été confondu avec celui de Rome, les circonstances de sa création sont en fait bien connues[37]. Son histoire débuta au cours de l'été 1621, lorsque le peintre entra au service du duc Ferdinand Gonzague en vue de réaliser des décorations murales pour la Villa Favorita de Mantoue ; sollicité auparavant, Guido Reni avait refusé de réaliser des fresques, pour le même commanditaire, qui dut se contenter des quatre toiles de l'*Histoire d'Hercule*, également conservée au Louvre. Au printemps suivant, l'Albane n'avait peint que les cartons des fresques projetées et quelques œuvres mineures pour le duc qui le qualifiait, en mai 1622, d'« *impertinentissimo pretensore* ». Agé alors d'une quarantaine d'années, il avait peut-être montré lui aussi quelque réticence à travailler à fresque en dépit de la réputation qu'il avait acquise à Rome dans cette technique. Il fut décidé que les tableaux projetés seraient peints à Bologne, à l'huile et non plus à fresque, mais en septembre 1623 le peintre n'avait toujours pas été payé selon ce qu'il estimait lui être dû, alors que ses cartons étaient achevés depuis plus d'un an. Ferdinand Gonzague mourut en octobre 1626 et comme les tableaux de l'Albane faits d'après ses cartons ne figurent pas dans l'inventaire après décès de son successeur Vincent II, il est probable qu'ils n'avaient pas été livrés. Pour la suite de leur histoire, le peintre fut appelé en 1633 à Florence par leur nouveau propriétaire, le cardinal Jean-Charles de Médicis, qui les avait vraisemblablement acquis de l'artiste, pour les retoucher et les achever : les quatre tableaux aujourd'hui au Louvre ont donc été peints entre 1621 et 1633. Installés par le cardinal dans son Casino de la Via della Scala, ils y furent inventoriés en 1663, peu avant d'être acquis par Paolo Francesco Falconieri, un Florentin qui les fit transporter l'année suivante à Rome, dans son palais de la Via Giulia. En 1672, le graveur Etienne Baudet les reproduisait dans des gravures en faisant figurer les armoiries de Falconieri qui les mit peu après en gage pour un prêt ; c'est à cette occasion qu'en 1684 La Teulière, le directeur de l'Académie de France à Rome, les signala à Louvois, le surintendant des Bâtiments, en lui faisant parvenir les estampes de Baudet. Louvois accepta qu'il s'en porte acquéreur au nom de Louis XIV[38] et, en juillet 1685, ils étaient à Paris où le surintendant les qualifiait d'« extrêmement beaux ». Présentés en bonne place à Versailles, puis au Louvre dès la création du musée en 1793, les quatre tableaux de l'*Histoire de Vénus* ont été régulièrement exposés durant tout le XIXᵉ siècle ; cette situation évolua radicalement par la suite puisqu'en 1913 seule *La Toilette de Vénus* figurait encore dans le catalogue des œuvres présentées. La série complète n'a retrouvé les cimaises de la Grande Galerie qu'en 1997, après une nouvelle restauration de chacune des toiles ; si la défaveur critique dont a souffert l'œuvre de l'Albane depuis la fin du XIXᵉ siècle explique en partie cette longue absence, une autre raison tient à leur médiocre état de conservation et aux infortunes de leurs restaurations successives : peu de tableaux du Louvre ont été aussi souvent restaurés, et avec des résultats aussi peu satisfaisants. A défaut de remédier aux usures provoquées par plusieurs transpositions de leurs supports, la dernière intervention a du moins permis de les mettre au mieux en valeur et de leur redonner équilibre et lisibilité.

S'il n'est pas certain que la commande de l'*Histoire de Vénus* par Ferdinand Gonzague ait été inspirée par une connaissance directe des tableaux de la série Borghèse, il est incontestable que l'Albane a repris leurs sujets en les développant avec des variantes significatives, et en donnant une importance nouvelle au paysage. Chacun des épisodes peut être rapporté à l'histoire de Vénus et Adonis telle qu'elle est racontée par Ovide (*Métamorphoses*, X, 519-739), mais il n'y a pas de tradition littéraire ou figurative antérieure justifiant leur regroupement, l'un des sujets, *Les Amours désarmés*, étant complètement nouveau. Les tableaux décrivent des épisodes mythologiques indépendants et l'Albane les a réunis dans une recréation poétique tirant parti de sources littéraires et figuratives dans une séquence narrative dont il a lui-même donné une interprétation. Selon Malvasia, en effet, il avait précisé que les sujets étaient « en partie à propos de la chasteté de Diane, et en partie sur la sensualité de Vénus avec l'insertion de nombreuses ruses des Amours[39] » : le thème sous-jacent est donc celui de la rivalité entre les deux déesses, Vénus et Diane, un conflit reflétant la lutte entre l'Amour et la Chasteté. La représentation de ce conflit, courante dans l'art de la Renaissance, était traité néanmoins de manière allégorique, comme une confrontation réelle entre des dieux personnifiant le Vice et la Vertu ; chez l'Albane, il est traduit non comme une confrontation physique mais sous la forme d'une narration lyrique en quatre épisodes. Dans *Le Repos de Vénus et de Vulcain*, la déesse de l'Amour dirige la fabrication d'armes amoureuses par des Amours forgerons pendant que Diane, déesse de la Chasteté, épie la scène. *La Toilette de Vénus* montre la déesse se parant tandis qu'elle séduit le jeune chasseur dévoué à Diane dans *Vénus et Adonis*. Dans *Les Amours désarmés*, enfin, Diane triomphe de sa rivale en désarmant les Amours. Apparemment superficiels, les sujets des tableaux du Louvre semblent étrangers au message moral que l'Albane revendiquait dans son commentaire du contenu du cycle Borghèse ; pourtant, à travers le choix des épisodes, son exposé de la rivalité entre l'Amour et la Chasteté comporte une nette prise de position : Diane triomphera tandis que l'histoire de Vénus et d'Adonis se terminera tragiquement.

On peut enfin estimer que les Amours partout présents renvoient eux aussi à une lecture du cycle comme la représentation de l'Amour, de son essence et de ses conséquences[40]. Les séries mythologiques de Rome, de Turin et du Louvre sont les premières œuvres de l'Albane dans lesquelles des Amours sont en aussi grand nombre. Multipliant les représentations de Cupidon, il l'a rendu omniprésent, comme si le dieu de l'Amour, généralement figuré seul jusqu'à la Renaissance, avait en fait des apparences multiples, qu'il soit montré jouant, dansant, ou engagé dans des occupations plus sérieuses comme l'agriculture, la pêche ou la fabrication de flèches destinées à ses victimes. Apparu dans l'œuvre de l'Albane en 1610, à Rome, dans sa fresque du palais du Quirinal, le motif du putto est devenu une sorte de marque de fabrique de ses compositions et la plupart de ses biographes ont loué son talent dans la description d'enfants, à la fois charmants et pleins de vie, dont il a su varier les occupations avec une étonnante imagination. La multiplication des putti dans ses œuvres profanes trouve son pendant dans ses compositions religieuses où les anges deviennent également plus nombreux après son retour à Bologne. Comme ceux de Duquesnoy ou de Poussin, ses putti imitent des modèles classiques et le contact avec des milieux férus d'archéologie, lors de son séjour romain, a dû compter dans son intérêt pour ces motifs ; il est avéré d'autre part que l'Albane avait copié un *Triomphe de Vénus* de Titien comportant de nombreux putti[41]. Mais d'autres raisons, d'ordre biographique, doivent également intervenir : en 1618, il se mariait pour la seconde fois ; un an plus tard, Doralice Fioravanti, son épouse, donnait naissance à leur premier enfant, qui devait être suivi de onze autres jusqu'en 1634. L'Albane a été décrit comme un homme appréciant la vie de famille et, à l'évidence, ses préoccupations paternelles doivent compter pour une part dans la prolifération d'enfants dans son œuvre. Selon une anecdote de Malvasia, souvent répétée par la suite et qui a inspiré plusieurs peintres au XIXᵉ siècle (cat. 35), l'épouse de l'Albane suspendait leurs enfants au plafond afin qu'il puisse s'en servir comme modèles et donner plus de vraisemblance à ses putti[42] !

Avancée dès le XVIIᵉ siècle, une interprétation du cycle du Louvre comme une représentation des Quatre Eléments est plus difficile à suivre. Cette lecture pourrait résulter d'une confusion avec la série de Turin consacrée aux Quatre Eléments, où chaque tableau peut aussi être considéré séparément, ou comme partie d'un ensemble. Les Eléments y sont évoqués par des dieux auxquels ils sont traditionnellement associés et, autour d'eux, diverses activités font allusion à leur nature : Galatée pour l'Eau, Vulcain pour le Feu, Junon pour l'Air, et Cybèle pour la Terre. Si la forge fait référence au Feu dans *Le Repos de Vénus et de Vulcain* et si l'importance donnée au ciel dans *La Toilette de Vénus* du Louvre suggère qu'elle peut éventuellement être conçue comme une allégorie de l'Air, on ne peut interpréter dans ce sens les deux derniers tableaux, à moins d'admettre que les Amours nageant ou pêchant se rapportent à l'Eau dans *Vénus et Adonis*, et que leur sommeil sur le sol se réfère à la Terre dans *Les Amours désarmés*.

Le regroupement des quatre épisodes est assez librement inspiré d'Ovide et certains détails des compositions de l'Albane ne s'expliquent que par le recours à d'autres sources littéraires. Dans la première version de *Vénus et Adonis*, il avait fait figurer Mars, visible dans les nuages et désignant un ours caché dans des buissons, faisant ainsi référence au développement ultérieur du récit. Ovide ne mentionne pas le rôle joué par Mars dans la mort d'Adonis mais cet ajout figure dans l'édition moderne des *Métamorphoses* par Giovanni Andrea d'Anguillara, que l'Albane utilisait ; dans *La Toilette de Vénus*, la description de la scène semble se rapprocher de celle que l'on trouve dans l'*Epithalame en l'honneur d'Honorius et de Maria* de Claude, un texte antique dont il connaissait une version en italien par Giambattista Marino, la *Venere Pronuba* (1616), où Vénus est décrite à l'ombre d'un arbre, entourée des Grâces et de putti cueillant des fruits ou jouant autour d'elle[43]. Quant à *L'Adone* (1624), le long poème de Marino contant le mythe de Vénus et d'Adonis, qui circulait déjà sous forme de manuscrit dans la première décennie du siècle, il donnait à Diane un rôle non mentionné par Ovide mais sous-entendu par l'Albane, et *La Toilette de Vénus* comme *La Rencontre de Vénus et Adonis* y étaient déjà associés. Cependant, au-delà des liens thématiques, on trouve dans les deux cycles de l'Albane un esprit voisin de celui de Marino : ses tableaux donnent des sortes d'équivalents picturaux à la narration par épisodes du poète qu'il avait rencontré à Rome, de son accumulation de concepts nouveaux, de ses descriptions amoureuses de la nature et de son imagination érotique. On doit enfin souligner les parentés entre les paysages de l'Albane et un courant de poésie idyllique florissant à Bologne au début du XVIIᵉ siècle, représenté notamment par Cesare Rinaldi et Claudio Achillini ; appartenant aux mêmes cercles lettrés qu'eux, l'artiste pourrait avoir tenté de traduire dans ses tableaux leurs pastorales arcadiennes inspirées par les paysages des environs de Bologne.

Les tableaux du Louvre ont été fréquemment admirés pour leur intégration très heureuse de thèmes mythologiques dans des paysages idylliques. Etroitement liés à ceux du cycle Borghèse pour les thèmes et par des motifs spécifiques, ils révèlent aussi une vision nouvelle du paysage. Dans les premières versions, les groupes de figures étaient placés au premier plan, devant des paysages fermant le fond avec des collines basses, des arbres ou une falaise ; dans celles du Louvre, plus grandes et rectangulaires, les figures sont intégrées au paysage plutôt que placées sur le devant. Au-delà de la scène du premier plan, des prairies ensoleillées, bordées par des arbres duveteux, se perdent en se dissolvant dans le lointain. Les personnages et le paysage sont transformés par l'atmosphère vaporeuse, une lumière diffuse atténue les surfaces des figures et des draperies diaphanes fondent les contours ; comme dans d'autres œuvres de l'Albane de cette époque, la lumière crépusculaire et l'émergence atmosphérique des formes renvoient à une assimilation plus prononcée du coloris vénitien. Cet intérêt croissant du peintre pour la peinture vénitienne du XVIᵉ siècle doit être perçu dans le contexte du courant néo-vénitien qui se développa à Rome dès la fin de la deuxième décennie[44] ; après l'Albane, la palette plus chaude, la touche plus délicate et les effets atmosphériques qu'il avait expérimentés devaient être adoptés et développés par Andrea Sacchi, Pierre de Cortone et Nicolas Poussin. L'ampleur nouvelle des tableaux du Louvre, l'échelle accrue donnée à la vision panoramique comme la taille réduite des figures évoquent d'autre part les paysages « héroïques » peints par le Dominiquin au cours des années

1620. Dans *Vénus et Adonis*, la rangée de falaises massives, la rivière descendant vers le centre de la composition, barrée par les deux chutes d'eau, et l'arbre haut isolé, font écho à des traits similaires dans les deux scènes de l'*Histoire d'Hercule* (Louvre)[45] du peintre bolonais. Mais malgré ces ressemblances, le traitement de la nature chez l'Albane est distinct : la solidité structurelle qui caractérisait les arbres du Dominiquin, ses falaises et ses collines, et l'éloignement mesuré vers le lointain, contrastent avec ses paysages rendus avec douceur, où la lumière et l'atmosphère voilent les contours spécifiques des formes dans les étendues lointaines.

L'importance donnée au paysage constitue la différence essentielle entre la série du Louvre et le cycle Borghèse, où les figures dominaient plus nettement. Grâce à l'accord obtenu entre l'atmosphère sereine du paysage et les attitudes gracieuses des personnages, l'intégration harmonieuse des figures dans un paysage d'une qualité d'exécution exceptionnelle, les variations des bleus du ciel et les transparences données aux feuillages bruns ou verts, l'Albane a élaboré un type de paysages qui annoncent ceux de Claude Gellée. Les paysages des deux peintres partagent d'ailleurs une même vision naturaliste et, à défaut d'études dessinées sur le motif par l'artiste bolonais, son goût pour une observation directe de la nature est bien attesté. Après son retour de Rome, il séjournait longuement chaque été dans deux villas familiales des environs de Bologne où il avait fait aménager des pièces d'eau et édifier des fontaines afin de stimuler son inspiration. Malvasia précise d'autre part qu'il aimait à peindre en plein air, une singularité qu'il est l'un des rares artistes du XVIIe siècle à partager avec le Lorrain[46] ; ce n'est sans doute pas une coïncidence si l'amateur Falconieri, qui avait acheté le cycle du Louvre à Jean-Charles de Médicis, devait, en 1663, commander à celui-ci deux paysages sur des sujets tirés du Tasse qui montrent un esprit très voisin des tableaux de l'Albane[47].

12 *Le Repos de Vénus et de Vulcain*

1621-1633
Toile. H. 2,02 ; L. 2,52.
Paris, musée du Louvre. Inv. 10.

HISTORIQUE : Voir cat. 15 ; déposé au château de Maisons-Laffitte, 1912-1919 et 1921-1944.
BIBLIOGRAPHIE : Van Schaack, 1969, n° 116 ; Puglisi, 1983, n° 151 ; Loire, 1996, p. 53-66 ; Puglisi, 1999, n° 71.i.

La forge de Vulcain est occupée par des Amours qui s'emploient à forger de nouvelles flèches, tandis que d'autres s'entraînent pour les décocher dans le cœur d'Adonis ; en haut, Diane, la rivale de Vénus, apparaît et menace de punir les Amours s'ils ne quittent leurs occupations futiles, un motif servant de lien narratif avec l'épisode des *Amours désarmés*. On trouve des Amours forgerons dans des peintures murales romaines et des sarcophages antiques mais également dans une fresque de Giorgio Vasari au Palazzo Vecchio de Florence, où des Amours travaillent ainsi en présence de Vénus. Par rapport au tableau Borghèse *(fig. 28)*, celui du Louvre montre une Vénus plus futile : elle s'attarde à caresser un Amour qui lui montre la cible atteinte avec l'une de ses flèches quand elle semblait précédemment vouloir intéresser Vulcain à la scène.

CAT. 12. Repr. coul. p. 36.

CAT. 13. Repr. coul. p. 37.

13 *La Toilette de Vénus*

1621-1633
Toile. H. 2,02 ; L. 2,52.
Paris, musée du Louvre. Inv. 9.

HISTORIQUE : Commandé par Ferdinand Gonzague, duc
de Mantoue, 1621 ; achevé pour le cardinal Giovanni
Carlo de Médicis, Florence, 1633 ; Paolo Francesco
Falconieri, Rome, 1664 ; vendu à Louis XIV, 1685 ;
grand cabinet de Monseigneur à Versailles, 1695 et 1706 ;
cabinet des tableaux du Roi à Versailles, 1709-1710 ;
Grand (?) Trianon à Versailles, 1760 ; exposé au Muséum
des Arts à partir de 1793.
BIBLIOGRAPHIE : Van Schaack, 1969 n° 134 ; Puglisi, 1983,
n° 150 ; Loire, 1996, p. 51-66, repr. coul. ; Puglisi, 1999,
n° 71.ii.

Sur le bord d'un lac, devant un palais fantastique,
Vénus est parée par ses suivantes aidées par des
Amours, afin de plaire à Adonis. Autour d'elle ou
dans le ciel, des Amours jouent, cueillent des fruits,
réparent son char ou nourrissent les cygnes qui le
tiraient. Le groupe principal a peut-être son origine
dans une première version de ce sujet longtemps donnée à Annibal Carrache *(fig. 31)*, qu'il avait déjà
adaptée dans ses fresques de Bassano di Sutri et du
palais Verospi à Rome. Mais si Vénus était à l'ombre
d'un arbre dans le tableau Borghèse *(fig. 27)*, elle est
désormais assise entre un portique d'ordre dorique
et une fontaine surmontée d'un imposant groupe
sculpté, devant un palais grandiose dont l'architecture est peut-être une allusion à la Villa
Favorita du duc de Mantoue[48] ; quant au per-
sonnage jouant de la lyre dans le ciel, il s'agit
d'Hyménée, jeune homme d'une rare beauté et
divinité présidant au mariage, dont la présence
pourrait renvoyer au mariage de Ferdinand Gonzague en 1617.

14 *Les Amours désarmés par les nymphes de Diane*

1621-1633
Toile. H. 2,02 ; L. 2,51.
Paris, musée du Louvre. Inv. 11.

HISTORIQUE : Voir cat. 13.
BIBLIOGRAPHIE : Van Schaack, 1969 n° 134 ; Puglisi, 1983,
n° 148 ; Loire, 1996, p. 55-66 ; Puglisi, 1999, n° 71.iv, repr.
couleurs.
EXPOSITIONS : Bologne, 1962, n° 43 ; Dijon-Lyon-Rennes,
1964-1965, n° 2.

Inquiète du triomphe de Vénus, sa rivale, Diane, pré-
side silencieusement au désarmement des Amours
endormis par ses nymphes. L'une d'elles brise un arc
et une autre coupe les ailes de l'un des Amours ; derrière elle, les carquois et les flèches des Amours sont
portés par d'autres nymphes dans le feu qu'elles ont
allumé, et une autre fait signe à sa compagne de se
taire pour ne pas les réveiller. L'Albane a adapté des
iconographies traditionnelles pour le motif de
l'Amour endormi ou celui du Cupidon désarmé mais

Fig. 27
La Toilette de Vénus,
vers 1617,
Rome, Galleria Borghese.

Fig. 28
Le Repos de Vénus et de Vulcain
vers 1617,
Rome, Galleria Borghese.

14. Repr. coul. p. 38.

CAT. 15. Repr. coul. p. 39.

un sonnet du Tasse, le poète favori de l'Albane, décrivait également Cupidon endormi dans un paysage. Dans le tableau Borghèse (*fig. 29*), la forge de Vulcain se voyait à proximité de la scène, peut-être afin de lier les deux épisodes décrivant le Triomphe de la Chasteté ; la forge de Vulcain est absente à présent mais l'épisode est lié à celui du *Repos de Vénus et de Vulcain* par le paysage d'une profondeur et d'une construction comparables. Désormais plus nombreux, les Amours ont gagné en importance et sont devenus, plus encore que Diane et ses nymphes, les sujets principaux. D'une incontestable originalité, le motif des *Amours désarmés* inventé par l'Albane sera repris par des peintres aussi différents que Lorenzo Pasinelli, Marcantonio Franceschini, Giuseppe Maria Crespi[49] ou Joshua Reynolds ; s'il était déjà présent dans le cycle Borghèse, c'est certainement celui du Louvre qui a fourni l'inspiration initiale, en raison de sa plus grande diffusion par l'intermédiaire de trois séries de gravures exécutées à la fin du XVIIe siècle et au début du XVIIIe siècle[50].

15 *Adonis conduit près de Vénus par les Amours*

1621-1633
Toile. H. 2,03 ; L. 2,52.
Paris, musée du Louvre. Inv. 12.

HISTORIQUE : Voir cat. 13 ; déposé au château de Maisons-Laffitte, 1912-1919 et 1941-1944.
BIBLIOGRAPHIE : Van Schaack, 1969 n° 134 ; Puglisi, 1983, n° 149 ; Loire, 1996, p. 57-66 ; Puglisi, 1999, n° 71.iii, repr. couleurs.
EXPOSITION : Bologne, 1962, n° 44.

Fatiguée d'avoir poursuivi Adonis, Vénus s'est endormie dans un lieu délicieux ; des Amours sont allés chercher Adonis pendant que d'autres cueillent des fruits. La rencontre de Vénus et Adonis a été rarement représentée et dans le tableau Borghèse (*fig. 30*), l'Albane avait montré Vénus invitant Adonis à le rejoindre ; il a supprimé Mars qui apparaissait dans les nuages, ainsi qu'un groupe de trois Amours qui tiraient un chariot dans lequel un quatrième tenait la torche de l'Amour[51]. A présent, la scène principale est placée devant un vaste paysage où des Amours se bai-

Fig. 29
Amours désarmés par les nymphes de Diane, vers 1617,
Rome, Galleria Borghese.

Fig. 30
Adonis conduit près de Vénus,
vers 1617,
Rome, Galleria Borghese.

Fig. 31
La Toilette de Vénus,
vers 1617,
Bologne, Pinacoteca Nazionale.

CAT. 16

gnent, s'affairent à pêcher ou à faire tomber des fruits de l'arbre, tandis que deux autres ont pris la place du char de Mars dans les airs. Ne laissant pas deviner l'issue tragique qu'impliquait le tableau Borghèse, l'Albane insiste au contraire sur le caractère joyeux, voire idyllique de la scène, enrichie par la présence d'Amours plus nombreux qu'auparavant.

16 *Vénus et Adonis*

Vers 1640
Toile. H. 0,45 ; L. 0,60.
Paris, musée du Louvre. INV. 20.

HISTORIQUE : M. de La Feuille ; vendu à Louis XIV, 1671 ; donné par le roi à Monseigneur, son fils, 1685 ; mentionné à Versailles, 1695 ; Meudon, début du XVIIIᵉ siècle ; cabinet des tableaux du Roi à Versailles, 1709-1710 ; hôtel du duc d'Antin à Paris, 1715-1736 ; cabinet des tableaux du Roi à Versailles, 1737 ; surintendance des Bâtiments à Versailles, 1784 ; exposé au Muséum des Arts à partir de 1793 ; déposé au Palais impérial de Strasbourg, 1809 ; retourné au Louvre entre 1816 et 1824 ; déposé au musée national du château de Fontainebleau, 1875 ; revenu au musée du Louvre, avant 1930.
BIBLIOGRAPHIE : Van Schaack, 1969, nº 138 ; Puglisi, 1983, nº 93 ; Loire, 1996, p. 80-83 ; Puglisi, 1999, nº 71.iii.V.c.

Aucun des trois autres cycles mythologiques de l'Albane n'a fait l'objet d'autant de reprises sous formes de versions ou copies. Supervisant l'exécution dans son atelier de répliques de ses compositions, le peintre en a lui-même tiré des variations qui ont contribué à établir sa réputation de peintre de paysages mythologiques et allégoriques. Parmi ces reprises, les plus intéressantes sont sans doute celles d'un cycle des *Quatre Saisons* (collection particulière)[52] peint vers 1640-1645. Dans un esprit semblable à celui des *Quatre Eléments* de Turin, il synthétise des motifs tirés de cet ensemble et de celui du Louvre, et chaque saison est représentée par un dieu aérien présidant à des activités inventées par l'Albane pour symboliser cette époque de l'année : le Printemps par Flore et Vénus, l'Eté par Cérès, l'Automne par Bacchus, et l'Hiver par Vénus et Vulcain qui font tous deux référence au Feu. Quant aux reprises isolées des différents tableaux, il est parfois difficile de déterminer leur statut exact mais à en juger par les versions ou copies qui ont pu être répertoriées, c'est la composition de *La Toilette de Vénus* qui connut le plus grand succès : elle a été réutilisée en particulier dans un tableau de taille moyenne que l'Albane a associé à un *Jugement de Pâris* (vers 1640 ; Madrid, musée du Prado)[53].

Quant à ce *Vénus et Adonis*, à l'origine sur un support de bois, il a beaucoup souffert d'une transposition sur toile et de restaurations trop brutales qui expliquent son médiocre état de conservation. Comme le grand tableau du cycle Borghèse *(fig. 30)*, il ne montre pas le départ d'Adonis pour la chasse mais la rencontre d'Adonis et de Vénus, un épisode non décrit par Ovide mais immédiatement postérieur à la blessure accidentelle de Vénus par Cupidon, au tout début de l'histoire des deux personnages dans les *Métamorphoses* (X, 522-528). Privée des scènes accessoires des tableaux Borghèse et Gonzague, la scène est davantage centrée sur la rencontre des deux personnages mais c'est bien le tableau du Louvre qui a inspiré l'attitude de Vénus, qui est toutefois inversée.

Le cycle de Carrouges

Les deux tableaux du château de Fontainebleau (cat. 17-18) appartiennent à une suite de sujets mythologiques destinée à Jacques Le Veneur, comte de Carrouges, que l'Albane paraît avoir laissée inachevée et qui comprenait également un *Neptune et Amphitrite* (fig. 32). Parrain du second fils de l'artiste, à Bologne, le 13 août 1625, cet amateur acquit en 1634 le château de Carrouges (Orne) et les trois tableaux apparaissent dans l'inventaire de la galerie du château dressé en 1653[54]. Selon Malvasia, l'Albane peignit pour Carrouges un cycle de tableaux sur cuivre analogue à ceux réalisés pour Scipion Borghèse, Ferdinand Gonzague et Maurice de Savoie, qu'il mentionnait comme « les divinités du Ciel, de la Terre, de la Mer, et des Enfers[55] ». L'absence d'une quatrième composition, dans l'inventaire de 1653, permet de supposer que l'Albane ne peignit que trois des sujets ; selon Malvasia, le commanditaire avait sévèrement critiqué ses nus masculins, ce qui pourrait avoir découragé l'exécution du tableau représentant les Enfers[56]. Un autre inventaire du château de Carrouges, dressé en 1687, ne mentionne aucune œuvre d'art qui n'ait déjà été citée en 1653, de sorte que les trois cuivres de l'Albane devaient toujours s'y trouver à cette date. Deux des trois tableaux, *Apollon et Mercure* et *Cybèle et les Saisons*, réapparaissent en 1693, parmi ceux qui furent donnés par Le Nôtre à Louis XIV. Parvenus au Louvre à la Révolution, ils y ont été exposés à partir de 1816 et jusqu'en 1875, lorsqu'ils furent envoyés à Fontainebleau ; c'est sans doute avant leur mise en dépôt qu'ils reçurent leurs beaux cadres dorés ornés de motifs de têtes d'enfants, dont la réalisation pourrait remonter à la première moitié du xIxe siècle. Quant au *Neptune et Amphitrite* (fig. 32), il était mentionné en 1751 à Paris dans la collection de Joseph-Antoine de Crozat, président de Tugny, puis dans celle de Randon de Boisset, receveur général des Finances, dont la vente des collections, en 1777, comprenait cette œuvre ; figurant dans une vente aux enchères qui eut lieu à Paris le 19 mars 1805, il fut acquis la même année par Lucien Bonaparte, frère cadet de

l'empereur Napoléon Ier, puis vendu avec sa collection, à Londres, le 14 mars 1816. Passé ensuite au roi Guillaume des Pays-Bas puis dans diverses collections privées, il a récemment réapparu lors d'une vente aux enchères[57].

Longtemps méconnus et peu étudiés, les tableaux de Fontainebleau ont été parfois négligés au profit de versions d'atelier[58]. Datés tout d'abord vers 1625-1628 par comparaison avec le cycle de Turin[59], ils s'intègrent mieux au corpus des œuvres de l'Albane des années 1630 pour leur couleur claire. D'autre part, puisque le comte de Carrouges n'acquit son château qu'en 1634, il est vraisemblable qu'il avait commandé les tableaux après cette date afin de les placer dans la galerie où ils furent inventoriés à sa mort. Leurs sujets comme leurs compositions ont beaucoup en commun avec ceux du cycle de Turin : dans *Cybèle et les Saisons*, il a repris le motif central de l'*Allégorie de la Terre*[60] *(fig. 33)* en substituant Cybèle à Bérécintie, la mère des dieux et ancienne déesse de la Terre, qu'entouraient déjà Flore, Cérès et Bacchus, les dieux représentant le Printemps, l'Eté et l'Automne[61], et il a ajouté Apollon dans le ciel et Pomone à droite. Lors du don Le Nôtre au roi, le tableau était désigné comme « les Saisons » mais le sujet n'est pas identique à celui de Turin puisqu'il s'agit ici d'une allégorie des dieux de la Terre (ou du Monde terrestre) et non de la Terre en tant qu'Elément ; quant à l'*Apollon et Mercure* décrit en 1693 comme « l'assemblée des dieux », c'est une allégorie des dieux de l'Air (ou du Monde céleste) et non de l'Air (l'Elément) : ce thème explique plusieurs motifs comme la lyre d'Apollon dont la musique fait écho aux harmonies célestes, Pégase et Mercure, ou encore l'Assemblée des dieux, déjà introduite par l'Albane dans *La Chute de Phaéton* de Bassano di Sutri *(fig. 15)* et qui figure dans l'interprétation d'Ovide par d'Anguillara qu'il utilisait. Quant à la présence des Muses sur le mont Parnasse que couronne Pégase, elle pourrait constituer une allusion à Apollon comme dieu des Arts. Le *Neptune et Amphitrite (fig. 32),* enfin, est une allégorie des dieux de l'Eau (ou du Monde marin) : on y voit Amphitrite donnant le sein à son enfant sous la protection de Neptune, son époux, en présence de Galatée, des Néréides et des Tritons. Ce thème pourrait avoir inspiré Nicolas Poussin lorsqu'il reprit le même sujet quelques années plus tard, en échangeant les positions de Neptune et de Vénus (tableau à Philadelphie, Museum of Art).

Plusieurs emprunts à des modèles artistiques de l'Albane ont été relevés dans les deux tableaux de Fontainebleau : dans *Apollon et Mercure*, la rencontre des deux personnages évoque une scène de même sujet peinte sur l'une des parois de la galerie Farnèse[62]. Quant au *Cybèle et les Saisons*, la figure nue de Bacchus y est proche du dieu peint par Titien dans la *Bacchanale des Andriens* (Madrid, Prado) et pourrait dériver également de modèles antiques ; l'Apollon dans son chariot, quant à lui, paraît inspiré par le motif comparable figurant

Fig. 33
Allégorie de la Terre,
vers 1625-1628,
Turin, Galleria Sabauda.

dans un *Jugement de Pâris* gravé par Marcantonio Raimondi d'après Raphaël. Mais malgré ces emprunts, et des reprises de motifs tirés de créations antérieures de l'Albane, ses tableaux constituent des interprétations très originales de thèmes mythologiques traditionnels qu'il a su enrichir de contenus inédits. Retenant volontairement les aspects les plus élégiaques de la Fable, quand d'autres peintres auraient, en particulier, donné une interprétation plus dramatique ou violente de l'histoire d'Apollon, il a mis en évidence les figures principales en étudiant soigneusement leurs attitudes afin d'éviter toute rupture dans les rythmes souples des compositions. En arrière, les acteurs secondaires, des nymphes, des bergers ou des satyres, complètent les scènes bucoliques au milieu d'une nature heureuse qui s'étend au loin vers des horizons limpides. Grâce à l'éclat métallique suscité par les supports de cuivre, l'Albane a rendu à la perfection les détails des corps, des visages, des vêtements et des chevelures, dans une lumière égale qui fait valoir la substance des matières. D'une exécution particulièrement raffinée, ces deux tableaux résument parfaitement les qualités picturales des paysages mythologiques de sa maturité.

17 *Apollon et Mercure*
ou *Allégorie du Monde céleste*

Vers 1635
Cuivre. H. 0,88 ; L. 1,03.
Fontainebleau, musée national du Château ;
dépôt du Louvre. Inv. 13.

HISTORIQUE : Commandé à l'Albane par le comte de Carrouges ; inventorié dans sa collection, 1653 ; André Le Nôtre ; donné à Louis XIV, 1693 ; grand cabinet de Monseigneur à Versailles, 1695 et 1706 ; hôtel du duc d'Antin à Paris, 1715-1736 ; surintendance des Bâtiments à Versailles, 1737, 1760, 1784 et 1788 ; transporté de Versailles au Louvre, 1797 ; exposé au château de Saint-

CAT. 17. Repr. coul. p. 40.

CAT. 18. Repr. coul. p. 41.

Cloud sous l'Empire ; exposé au Musée royal à partir de
1816 ; déposé au musée national du château de
Fontainebleau, 1875.
BIBLIOGRAPHIE : Van Schaack, 1969, n° 82 ; Puglisi, 1983,
n° 125, pl. 98 ; Loire, 1996, p. 374-375 ; Puglisi, 1999,
n° 75.i.
EXPOSITIONS : Bologne, 1962, n° 47 ; Paris, 1965, n° 1 ;
Paris, 1988-1989, n° 1 ; Fontainebleau, 1998-1999, n° 30,
repr. couleurs.

Pour venger la mort de son fils Esculape foudroyé par
Jupiter, Apollon avait tué les Cyclopes à coups de
flèche. Banni de l'Olympe, il avait été réduit à garder
les troupeaux d'Admète, roi de Thessalie, jusqu'à ce
que Jupiter, touché de ses souffrances, rassemble des
divinités du ciel et envoie Mercure lui annoncer la fin
de son exil (Ovide, *Métamorphoses*, II, 678-709). Le
messager des dieux a rendu sa lyre à Apollon et lui
désigne l'assemblée des dieux au milieu desquels
apparaît Jupiter. A droite, on aperçoit Pégase qui fait
jaillir du mont Hélicon la source de l'Hippocrène
autour de laquelle sont groupées les Muses.

18 Cybèle et les Saisons ou Allégorie du Monde terrestre

Vers 1635
Cuivre. H. 0,88 ; L. 1,03.
Fontainebleau, musée national du Château ;
dépôt du Louvre. INV. 14.

HISTORIQUE : Voir cat. 17.
BIBLIOGRAPHIE : Van Schaack, 1969, n° 83 ; Puglisi, 1983,
n° 126 ; Loire, 1996, p. 375-376 ; Puglisi, 1999, n° 75.ii.
EXPOSITIONS : Bologne, 1962, n° 48 ; Paris, 1965, n° 2 ;
Paris, 1988-1989, n° 2 ; Fontainebleau, 1998-1999, n° 29,
repr. couleurs.

La déesse Cybèle, mère des dieux, reconnaissable à sa
couronne crénelée et aux lions qui l'accompagnent,
trône sur un piédestal autour duquel sont assemblés
Flore, Cérès, Bacchus et Pomone, qui personnifie elle
aussi le Printemps. En arrière, on distingue à droite
les troupeaux gardés par des satyres, et des naïades à
gauche, tandis qu'Apollon sur son char représente
l'action bienfaisante du soleil sur les fruits de la terre.
La composition de ce cuivre a été reprise dans un
panneau en hauteur conservé au musée d'Epinal,
lequel, en raison de sa qualité et de variantes assez
significatives, pourrait en être une reprise autographe[63].

La maturité
et les dernières années

L'exécution de grandes commandes religieuses n'avait représenté qu'une faible part de l'activité de l'Albane jusqu'en 1617 mais après son retour à Bologne il réalisa, seul ou avec son atelier, une vingtaine de tableaux d'autel pour des églises d'Emilie-Romagne. Leur importance a souvent été jugée secondaire par rapport à ses tableaux de cabinet mais l'artiste refusa toujours d'être considéré seulement comme un peintre de petits formats. Le premier est *Le Baptême du Christ (fig. 34)* pour l'église San Giorgio de Bologne[64], qui fut suivi du décor complet de la chapelle Cagnoli dans l'église de la Madonna di Galliera[65] *(fig. 35)*, de *L'Annonciation* pour San Bartolomeo *(fig. 22)*, de plusieurs représentations de saint Sébastien liées à l'épidémie de peste qui frappa le nord de l'Italie en 1630[66], et par deux retables pour Santa Maria dei Servi, un *Saint André adorant la croix* (1639-1641)[67] et un *Noli me tangere (fig. 23)*. C'est à cet ensemble que se rattache la grande *Sainte Famille* (cat. 23) du musée de Dijon, le seul tableau d'autel de l'artiste qui soit à présent conservé hors d'Italie. La plupart sont remarquables par la lisibilité de leurs compositions et par leur approche directe de l'Histoire Sainte. Tous sont conformes aux dévotions les plus traditionnelles mais ils sont souvent enrichis de détails iconographiques originaux dont la présence est certainement due en partie à l'artiste. S'il a généralement conçu la représentation des mystères sacrés comme des images solennelles, leur austérité formelle est presque toujours tempérée par la présence d'angelots et par la douceur des expressions.

Développant parfois les compositions antérieures d'œuvres de petits formats (cat. 8 et 9) et servant à leur tour de prototypes pour des variantes destinées à des amateurs (cat. 24 et 28), ces tableaux d'église lui valent une place de premier plan dans la tradition artistique bolonaise, aux côtés de Guido Reni (1575-1642) ou du Guerchin (1591-1666). A la mort de Ludovic Carrache, en 1619, Guido Reni devint le véritable chef de l'Ecole bolonaise. Toutefois, grâce à ses succès dans ce domaine, l'Albane devait rapidement devenir le principal rival de

Fig. 34
Le Baptême du Christ,
1620-1624,
Bologne, Pinacoteca Nazionale.

son ancien condisciple[68] : le Dominiquin quitta définitivement Bologne en 1621 et le Guerchin, réinstallé à Cento, sa ville natale, à son retour de Rome en 1623, ne devait s'installer à Bologne qu'à la mort de Reni en 1642[69]. La réputation de l'Albane lui valut d'être recommandé en 1627 par le cardinal Francesco Barberini pour l'exécution d'un tableau d'autel à la basilique Saint-Pierre de Rome ; pour une raison inconnue, la commande alla finalement à Valentin de Boulogne[70] mais le choix initial de l'Albane traduit la permanence de sa réputation dans la Ville éternelle. L'épisode n'en marque pas moins un tournant dans sa carrière puisqu'il ne devait plus désormais peindre des tableaux d'église que pour l'Emilie, quand sa renommée allait s'étendre bien au-delà grâce à ses tableaux de cabinet.

En 1646, un événement familial malheureux devait avoir des conséquences dramatiques sur l'activité des dernières années de l'Albane. Le décès de son frère aîné – et la nécessité d'assumer les dettes considérables qu'il avait laissées – fut à l'origine d'une production de plus en plus abondante que ses anciens biographes décrivent comme quasi mécanique. Si les œuvres de grand format tardives révèlent de grandes faiblesses, ses tableaux de cabinet posent les problèmes d'attribution et de datation les plus délicats selon la part effective qu'il a prise à leur exécution. A l'évidence, de nombreuses œuvres vendues sous son nom ont été largement peintes par des assistants et Malvasia va jusqu'à préciser qu'au sein de l'atelier certains des élèves avaient une tâche particulière pour leur réalisation : « L'Albane appelait Bibiena son fontainier parce qu'il l'avait toujours chargé de peindre l'eau, les rivières, la mer, les fontaines ; Pianoro était son architecte parce qu'il faisait les colonnes, les temples, les constructions ou les tours ; Menzani et Veralli étaient ses jardiniers ou ses paysans parce qu'ils faisaient les feuillages, les feuilles et les arbres, c'est-à-dire les paysages de ses tableaux[71]. » Evoquant pratiquement des procédés de travail à la chaîne, ces indications pourraient laisser penser que l'intervention de l'Albane dans les créations de ses quinze dernières années est marginale ; la qualité de nombre d'entres elles (cat. 27-31) assure tout de même qu'il était capable de maîtriser quand il le fallait leur exécution afin d'assurer leur cohérence thématique et stylistique.

D'autres désenchantements marquèrent ses dernières années : en 1653, il fut contraint de vendre sa résidence de campagne de Meldola, dans les environs de Bologne, pour tenter de résorber les dettes laissées par son frère ; l'année suivante, il écrivait à son élève Girolamo Bonini que des rumeurs relatives à sa mauvaise santé, et même à sa mort, circulaient à Venise et en France[72]. En 1657, enfin, quand il reçut le *Microcosmo della pittura* que Francesco Scannelli venait de faire paraître, il estima nécessaire de se plaindre auprès de l'auteur pour défendre sa réputation[73]. Le qualifiant comme l'un des meilleurs disciples des Carrache, son biographe lui reconnaissait

Fig. 35
Allégorie de la Passion,
1627-1632,
Bologne, Madonna di Galliera.

cependant une importance secondaire par rapport à celle de Guido Reni, auquel il avait consacré plus de pages ; répondant à son tour à ses critiques, Scannelli se justifia en le désignant, dans une formule heureuse, comme l'« un des quatre évangélistes de la peinture moderne » avec Reni, le Guerchin et le Dominiquin[74]. Les dernières décennies d'activité de l'Albane le virent d'ailleurs renouveler son inspiration grâce à des sujets nouveaux : dans ce qui est peut-être le plus célèbre de tous ses tableaux de chevalet, *La Danse des Amours*[75] *(fig. 36)*, peint vers 1640, il a su créer une iconographie originale en célébrant les pouvoirs universels de l'Amour. Prenant pour point de départ l'histoire de Perséphone (Ovide, *Métamorphoses*, V, 362-384), dont l'enlèvement a été relégué au fond du tableau[76], il a montré le dénouement de la fable comme une danse triomphante des soldats de l'Amour qui ont temporairement délaissé leurs flèches amoureuses. Au-dessus de la scène, dans le ciel, Vénus récompense Cupidon d'un baiser, tandis qu'à l'arrière-plan les suivantes de Perséphone se lamentent sur sa disparition. S'inspirant à nouveau des *Bacchanales* de Titien, il a tiré profit avec bonheur du format ovale pour suggérer le rythme de la danse des Amours dans une composition où les créatures malicieuses et le paysage s'équilibrent harmonieusement.

Ce que l'on sait des idées artistiques de l'Albane atteste enfin qu'il garda jusqu'à sa mort une conception très élevée de son art, dont il fit profiter de nombreux disciples[77]. A l'image de l'atelier romain d'Annibal Carrache, celui qu'il eut à Rome puis à Bologne était non seulement la fabrique de répliques de ses compositions mais aussi une véritable école, où ses élèves les plus doués pouvaient s'épanouir librement. Ses disciples les plus fameux furent des peintres aussi différents, et aussi importants, qu'Andrea Sacchi (1599-1641), Pier Francesco Mola (1612-1666) et Carlo Cignani (1628-1719)[78], ce qui révèle assez que son enseignement n'était nullement une entrave à leur expression personnelle. Rédigeant la biographie de Carlo Maratta (1625-1713), Bellori, le grand théoricien du classicisme, a souligné la continuité esthétique allant des Carrache à celui-ci, à travers l'Albane et Sacchi, venant ainsi à donner au peintre bolonais un rôle fondamental dans la définition et la diffusion de l'idéal classique[79]. De fait, dans ses écrits sur la peinture[80] et dans ses échanges épistolaires avec Sacchi relatifs aux *bamboccianti*, les peintres nordiques auteurs de scènes de genre inspirées de la vie quotidienne et très prisées à Rome à partir du deuxième quart du siècle, il défendait un idéal noble de la peinture en condamnant la démarche extrême représentée par leur naturalisme et leurs figurations de thèmes vulgaires[81]. Dans ses propres tableaux, il a construit un univers idyllique et sensuel, libre de conflits et riche d'allusions à la poésie antique ou contemporaine, qui font de son œuvre l'un des plus attachants de tout le Seicento.

Fig. 36
La Danse des Amours,
vers 1640,
Milan, Pinacoteca di Brera.

CAT. 19

19 *La Fécondité,* dit aussi *La Charité*

Vers 1635
Cuivre. H. 0,49 ; L. 0,57.
Paris, palais du Luxembourg, présidence du Sénat ;
dépôt du Louvre. INV. 35.

HISTORIQUE : Collection de Louis XIV ; galerie des
tableaux du Roi à Versailles, 1695 et 1709 ; hôtel du duc
d'Antin à Paris, 1715-1736 ; galerie des tableaux du Roi
à Versailles, 1737 ; surintendance des Bâtiments à
Versailles, 1760, 1784 et 1788 ; transporté de Versailles au
Louvre, 1792 ; exposé au Muséum des Arts à partir de
1793 ; déposé à la présidence du Sénat, 1853.
BIBLIOGRAPHIE : Puglisi, 1983, nº 264 ; Loire, 1996, p. 378-
379 ; Puglisi, 1999, nº 79.
EXPOSITION : Caen, 1986, nº 13, repr. couleurs.

On ignore l'origine de ce tableau qui fut inventorié
pour la première fois dans la collection de Louis XIV
en 1695 sous le nom de l'Albane. Les sources
anciennes mentionnent sous son nom de nombreuses
versions de ce sujet, mais aucune ne peut correspondre à celle-ci. Parmi les œuvres non retrouvées, il

convient de citer une toile dont la description correspond à la composition de ce cuivre et qui lui fut payée
en 1653, et aussi une autre qui fut inventoriée en 1653
et 1661 dans la collection du cardinal Mazarin, à
Paris, beaucoup plus grande cependant[82]. Rarement
exposé au Louvre avant son dépôt au Sénat et peu
accessible depuis, ce cuivre a été inventorié au
XIXe siècle comme une copie mais sa composition

Fig. 37
Allégorie de la Charité, vers 1650-1660,
Sudeley Castle (Gloucestershire),
Basildon Picture Settlement.

semble avoir été particulièrement appréciée puisqu'il en existe de nombreuses reprises peintes par des suiveurs ou des élèves de l'Albane, parmi lesquels Marcantonio Franceschini (1648-1729). Le tableau du Louvre a d'ailleurs pu être donné à ce dernier : il serait en fait assez surprenant qu'une œuvre récente de Franceschini, un artiste certainement connu en France à la fin du XVIIe siècle, ait pu, dès 1690, être inventoriée sous le nom de l'Albane.

Ce tableau s'insère sans difficulté dans le corpus de ses œuvres sûres, la présence de repentirs – sur le nez de l'enfant allaité par la Vierge et sur la main gauche de celui qui est au centre – comme la délicatesse du modelé le désignent manifestement comme le prototype des autres versions. La fermeté du modelé, la solidité de la pyramide définie par les figures, la palette privilégiant des tonalités vives, malheureusement voilées à présent par un épais vernis jaune, ainsi que l'utilisation d'un écran de feuillage sombre, sur lequel se détachent les figures, permettent d'autre part de le situer dans la seconde moitié des années 1630. A cette époque, l'Albane devait encore être entouré de nombreux enfants en bas âge et leur présence pourrait avoir motivé leur abondance dans cette composition à la fois simple et familière ; une description des appartements de Versailles au XVIIIe siècle précisait d'ailleurs que l'« on croit que le peintre a peint ici sa femme et ses enfants[83] ». Le tableau était désigné à cette occasion comme *La Fécondité* et cette appellation a souvent prévalu, alors que la composition emprunte des éléments à l'iconographie traditionnelle de cette figure allégorique et à celle de la Charité[84]. C'est la composante profane et charnelle de cette vertu qui est ici privilégiée, la grenade étant toutefois non seulement un symbole de fertilité mais aussi de résurrection. Dans une autre interprétation de l'allégorie[85] *(fig. 37)*, dont la richesse iconographique atteste le renouvellement de l'inspiration de l'Albane dans ses créations tardives, il insistera au contraire sur l'aspect spirituel de la Charité comme Vertu théologale : l'arbre sous lequel se tient la figure est chargé de grappes de vigne qui, avec le pain posé à côté, symbolise l'Eucharistie, ou l'exemple de la Charité chrétienne à travers le sacrifice du Christ ; et la base de la fontaine que décorent des dauphins, autres symboles de résurrection, comporte des motifs païens auxquels s'oppose un vaste paysage christianisé dans lequel la Charité nourrit ses enfants et offre la promesse du salut.

20 *Le Repos pendant la fuite en Egypte*

1637
Toile. H. 0,76 ; L. 0,95.
Fontainebleau, musée national du Château ;
dépôt du Louvre. INV. 5.

HISTORIQUE : Acquis de l'Albane par la famille Dal Pozzo della Cisterna, Turin, 1637 ; vendu à Vittorio Amedeo II de Savoie, 1701 ; saisi par les commissaires de la République française et emporté en France, 1799 ; exposé au Musée central des Arts à partir de 1801 ; présenté au château de Saint-Cloud, 1802-1805 ; laissé au Louvre lors des restitutions de 1815 ; déposé au musée national du château de Fontainebleau, 1889.
BIBLIOGRAPHIE : Van Schaack, 1969, n° 81 ; Puglisi, 1983, n° 223 ; Brejon de Lavergnée et Volle, 1988, p. 37 ; Loire, 1996, p. 372-373 ; Puglisi, 1999, n° 148.V.a.

CAT. 20

Ce tableau a souvent été confondu avec la version du même thème peinte sur cuivre et achetée par Louis XIV en 1685 (cat. 21). Des marques de pliures visibles dans les angles pourraient d'ailleurs indiquer que l'on a modifié ses dimensions après son arrivée à Paris pour en faire des pendants. La datation de cette œuvre a été assez discutée jusqu'à la découverte d'un paiement correspondant à l'Albane, le 26 mai 1637, par la famille turinoise des Dal Pozzo della Cisterna. On retrouve sa trace dans différents inventaires de leurs collections dressés en 1644, en 1668 et 1676, d'autres documents attestant sa vente à Vittorio Amedeo II de Savoie à Turin en 1701. La composition est très proche de celle d'un tableau en hauteur peint sur cuivre (Habrough, Brocklesby Park [Lincolnshire], Earl of Yarborough) [86], dans lequel le groupe central est identique mais où l'Enfant Jésus extrait une petite croix du panier de fleurs, alors qu'il se contente ici d'y prendre des fruits. Une gravure correspondant à cette composition a été gravée vers 1635 par Pier Francesco Mola, l'élève de l'Albane, qui devait lui-même peindre ce sujet dans un tableau très voisin (Rome, Galleria Doria Pamphilj) [87]. Le cuivre de Brocklesby Park a été considéré comme le prototype dont dériverait la version de Fontainebleau : la scène a été élargie sur la droite par un ajout de paysage dans lequel un ange conduit l'âne près d'une source qui s'échappe d'un rocher. Malgré cet élargissement de la composition, la scène de l'offrande des fleurs à l'Enfant conserve son intimité et trouve désormais place dans un cadre paisible et serein, qui s'ouvre au centre sur un ciel limpide.

21 *Le Repos pendant la fuite en Egypte*

Vers 1640
Cuivre. H. 0,76 ; L. 0,95.
Fontainebleau, musée national du Château ;
dépôt du Louvre. Inv. 4.

HISTORIQUE : Antoine de Gramont, Paris, 1665 ; M. Belluchau, Paris ; vendu à Louis XIV, juin 1685 ; grand cabinet de Monseigneur à Versailles, 1695 et 1706 ; cabinet des tableaux du Roi à Versailles, 1709-1710 ; surintendance des Bâtiments à Versailles, 1794 ; exposé au Musée central des Arts à partir de 1798 ; présenté au château de Saint-Cloud, 1802-1805 ; déposé au musée national du château de Fontainebleau, 1889.
BIBLIOGRAPHIE : Van Schaack, 1969, n° 80 ; Puglisi, 1983, n° 218 ; Loire, 1996, p. 372-373 ; Puglisi, 1999, n° 146, repr. couleurs.

La référence la plus ancienne à ce tableau se trouve dans le récit du voyage à Paris du cavalier Bernin en 1665, qui le vit rue Neuve-Saint-Augustin, dans l'hô-

tel du maréchal-duc de Gramont (1640-1678). Il passa ensuite à Belluchau, secrétaire royal et ancien trésorier de France à Caen, qui le vendit au roi en juin 1685, à un moment où les acquisitions d'œuvres de l'Albane pour la collection royale étaient particulièrement nombreuses (cat. 1, 7, 8, 9, 24, 25, 28 et 31). Aucune ne semble toutefois avoir coûté aussi cher à Louis XIV puisqu'elle fut payée la somme considérable de 5 000 livres, soit presque autant que les 5 200 livres déboursées pour *L'Annonciation* (cat. 7) et *Le Christ et la Madeleine* (cat. 8) avec un important *Renaud et Armide* du Dominiquin. A l'évidence, la haute qualité de ce cuivre, « son plus beau paysage idyllique sur ce thème » (Puglisi), n'avait pas échappé à son vendeur, non plus que l'originalité et les inventions charmantes de sa composition.

Se souvenant certainement de *La Fuite en Egypte* peinte par Annibal Carrache pour la série des lunettes Aldobrandini, l'Albane a inséré ici l'épisode du repos de la Sainte Famille dans une construction moins rigoureuse que celle de son aîné. Semblant se mouvoir sous l'effet d'une brise légère, les frondaisons d'arbres sans pesanteur se détachent sur un ciel peuplé de nuages clairs. Au premier plan, les teintes vives du manteau bleu et de la robe rouge de la Vierge désignent le centre narratif de la composition et s'accordent aux tonalités azurées de la partie haute. A droite, à mi-distance, saint Joseph dirige le regard du spectateur vers une rivière barrée par une cascade, les arcades d'un pont, une ville fortifiée, puis les profils incertains des montagnes qui semblent se fondre dans la chaude lumière du soleil. Seul un Claude Gellée parvenait alors à donner une telle poésie élégiaque à ce sujet mais il est rarement parvenu à un accord aussi harmonieux entre les figures et le paysage. Plusieurs

Fig. 38
Guillaume Chasteau d'après l'Albane,
La Laveuse,
Paris, Bibliothèque nationale de France.

CAT. 21

personnages se retrouvent dans d'autres versions de ce thème peintes à la même époque : les deux anges agenouillés offrant des fruits et des fleurs à l'Enfant Jésus assis sur les genoux de sa mère, saint Joseph donnant à boire à l'âne, ou les anges volants apportant les fruits qu'ils viennent de cueillir. Mais cette version est sans doute la première à évoquer un autre ange qui abaisse la branche d'un arbre afin que la Vierge puisse y cueillir des fruits. Ce motif est peut-être adapté de Corrège, dont *La Madone à l'écuelle* (Parme, Galleria Nazionale) montre saint Joseph penchant vers la Vierge la branche d'un palmier pour qu'elle prenne des dattes, et doit trouver son origine dans des récits apocryphes de la fuite en Egypte[88]. L'Albane connaissait sans aucun doute de telles légendes et il les a souvent adaptées avec bonheur : dans d'autres représentations du repos de la Sainte Famille, il a mis l'accent sur la Vierge profitant d'une halte pour laver son linge, que l'Enfant Jésus apporte ensuite à des anges afin qu'ils l'étendent sur des arbres[89] *(fig. 38)*.

22 *Actéon métamorphosé en cerf*

Vers 1640
Toile. H. 0,77 ; L. 0,99.
Paris, musée du Louvre. Inv. 16.

HISTORIQUE : La Feuille, Paris, vers 1665 ; vendu à Louis XIV, 1671 ; magasin des tableaux du Roi à Versailles, 1695-1696 ; cabinet des tableaux du Roi à Versailles, 1709-1710 ; hôtel du duc d'Antin à Paris, 1715 ; cabinet du Billard à Versailles, 1737 (?) ; surintendance des Bâtiments à Versailles, 1760 et 1784 ; transféré de Versailles au Louvre, 1797 (?) ; exposé au Musée royal à partir de 1816.
BIBLIOGRAPHIE : Van Schaack, 1969, n° 135 ; Puglisi, 1983, n° 182 ; Loire, 1996, p. 70-73 ; Puglisi, 1999, n° 87.V.a.
EXPOSITIONS : Bologne, 1962, n° 49 ; Dijon-Lyon-Rennes, 1964-1965, n° 1.

Vers la fin des années 1630, l'Albane revint à un sujet qu'il avait traité à l'époque de de son retour à Bologne en 1617 (cat. 6) en peignant une nouvelle version de l'histoire d'Actéon[90] *(fig. 39)*. Cette œuvre était encore dans l'atelier du peintre en 1639 lorsque l'agent à Bologne de Francesco I d'Este, duc de

CAT. 22

Modène, lui écrivit pour recommander son achat. Il révélait que le tableau avait été commencé pour l'ambassadeur d'Angleterre à Venise, qui venait d'être rappelé, et l'assurait que le traitement de la fable était différent de tous les autres peints par l'Albane. Selon lui, un de ses élèves avait ébauché la composition, qu'il avait ensuite retouchée; il aurait en outre exé-

Fig. 39
Diane et Actéon,
1639,
Dresde, Gemäldegalerie.

cuté le paysage, ainsi que les « trois figures ajoutées ». Tout en reprenant le groupe central du cuivre antérieur, le peintre a introduit dans cette version d'autres nymphes et transformé la figure d'Actéon qui porte des cornes et s'enfuit désormais vers la gauche. Le cadrage a été élargi afin d'inclure le surplomb de la grotte et le tableau de Dresde, un peu plus grand que le cuivre du Louvre, donne l'impression d'une œuvre plus petite, caractéristique de la tendance de l'Albane à miniaturiser ses compositions et ses figures à partir des années 1620-1630. Le musée de Dresde conserve aussi une seconde version de ce sujet avec Diane debout, de dimensions voisines mais montrant une composition inversée[91]. La toile du Louvre en serait une réplique avec variantes où la composition a été à nouveau inversée, et l'Albane pourrait l'avoir peinte au cours des années 1640 avec une large participation de son atelier : les nymphes ont moins de relief et leurs proportions sont moins satisfaisantes que dans le tableau allemand ; il est possible toutefois qu'elle ait été un peu écrasée par des rentoilages trop énergiques, la figure d'Actéon comportant d'autre part des repeints anciens[92].

82

23 *La Sainte Famille*

Vers 1640-1641
Toile. H. 3,20; L. 1,98.
Dijon, musée des Beaux-Arts. Inv. Ca.1.

HISTORIQUE : Mentionné dans l'église San Giovachino de
Bologne, 1650 ; prélevé et emporté en France, 1796 ; envoi
de l'État au musée de Dijon, 1812 ; laissé en France lors
des restitutions de 1815.
BIBLIOGRAPHIE : Van Schaack, 1969, n° 57 ; Puglisi, 1983,
n° 208 ; Brejon de Lavergnée et Volle, 1988, p. 36 ; Puglisi,
1999, n° 92.

Ce tableau d'autel, le seul conservé en France qui per-
mette de donner une idée de l'activité de l'Albane
dans ce domaine, ornait à l'origine le second autel de
droite dans l'église San Giovachino de Bologne,
connue aussi comme la Natività della Beata Vergine
nelle Lame. Une communauté de nonnes capucines
avait acquis en 1627 cette église qui ne fut inaugurée
officiellement qu'en septembre 1641. Cité en place
dès 1650, le tableau fut mentionné par Malvasia dans
sa biographie de l'artiste et dans son guide des curiosités de Bologne[93], ainsi que dans plusieurs guides de
voyages rédigés au XVIIIe siècle par des amateurs, le
président de Brosses (1739), Cochin (1758) – qui estimait que « l'attitude de l'Enfant est forcée », tout en y
relevant « une couleur agreable, sans avoir beaucoup
de fraîcheur »[94] –, ou encore Lalande. Si la date de son
achèvement n'est pas précisément connue, il est probable qu'il fut mis en place pour l'inauguration de
l'église en 1641, une datation confirmée par des com-
paraisons stylistiques avec d'autres tableaux d'église
de cette époque. La lisibilité de la composition, l'éclai-
rage uniforme, la délicatesse de la facture comme la
fraîcheur du coloris, en particulier les bleus et les
rouges saturés des vêtements de la Vierge révélés par
la récente restauration, l'apparentent en effet à *La
Vierge à l'Enfant avec les saints Sébastien et Roch* (San
Giovanni in Persiceto, collégiale) de 1640, ou encore
au *Saint André adorant la croix* (Bologne, Santa Maria
dei Servi) achevé en 1641.

On peut également noter que plusieurs motifs se
retrouvent dans des tableaux de cabinet exécutés à
partir de la fin des années 1630 (cat. 20, 28 et 29),
comme les anges placés à gauche de la Vierge ou l'attitude détachée de saint Joseph, qui pourrait dériver
de grandes *Sainte Famille* de Raphaël. Mais la principale originalité de ce tableau de l'Albane réside dans
son sujet, puisque l'on voit l'Enfant Jésus se détournant du sein de sa mère pour contempler sa croix et le
calice que lui présentent des anges. Il s'agit là encore
de l'illustration d'une vieille dévotion populaire à
laquelle il a été l'un des premiers à donner une nou-

CAT. 23. Repr. coul. p. 42.

velle actualité au XVIIe siècle[95] ; avant lui, au cours des
années 1630, ce motif figurait déjà dans un *Songe de
saint Joseph* gravé par Pietro Testa ou dans des *Fuite
en Egypte* peintes par Nicolas Poussin[96]. Chez l'Albane, qui a également figuré une vision mystique
comparable avec l'Enfant Jésus plus âgé *(fig. 35)*, elle
n'est pas située à un moment ou à un lieu précis de
son histoire mais sert plutôt à enrichir et à solenniser
le contenu allégorique d'une image dévotionnelle de
la Sainte Famille.

CAT. 24

24 *Le Baptême du Christ*

Vers 1640
Toile. H. 0,775 ; L. 0,985.
Lyon, musée des Beaux-Arts. Inv. A-127.

HISTORIQUE : Cardinal Jules Mazarin, Paris, 1653 et 1661 ;
Achille de Harlay, Paris ; donné à Louis XIV, 1684 ;
galerie des tableaux du Roi à Versailles, 1695 ; hôtel du
duc d'Antin à Paris, 1715-1736 ; exposé au palais du
Luxembourg à Paris, 1750-1779 ; magasin des tableaux
du Roi au Louvre, 1785 ; exposé au Muséum des Arts à
partir de 1793 ; envoi de l'Etat au musée de Lyon, 1803.
BIBLIOGRAPHIE : Van Schaack, 1969, n° 104 ; Puglisi, 1983,
n° 108 ; Brejon de Lavergnée et Volle, 1988, p. 38 ; Puglisi,
1999, n° 105, repr. couleurs.

25 *La Prédication de saint Jean-Baptiste*

Vers 1640
Toile. H. 0,76 ; L. 0,97.
Lyon, musée des Beaux-Arts. Inv. A-127.

HISTORIQUE : Voir cat. 28.
BIBLIOGRAPHIE : Van Schaack, 1969, n° 105 ; Puglisi, 1983,
n° 115 ; Brejon de Lavergnée et Volle, 1988, p. 38 ; Puglisi,
1999, n° 106.

Ces deux précieux tableaux de cabinet ont dû arriver
très tôt France puisqu'ils étaient dès 1653 en possession de Mazarin qui détenait en outre une autre *Prédication de saint Jean-Baptiste* de plus grandes dimensions. Par la suite, ils entrèrent en possession de Louis
XIV grâce à leur don en 1684 par Achille III de Harlay (1629-1712). D'après Félibien, cet amateur, qui fut
notamment procureur général puis premier président

au parlement de Paris, était encore en possession du
Jugement de Salomon (Paris, Louvre) de Nicolas Poussin, peu avant son achat par Louis XIV : sa libéralité
pourrait avoir contribué à attirer l'attention du roi sur
cette œuvre importante, à moins que l'acquisition ne
l'ait « dédommagé » pour le don antérieur[97]. *Le Baptême du Christ* peut être considéré comme une dériva-
tion du tableau d'autel *(fig. 34)* mis en place dans
l'église San Giorgio de Bologne vers 1624, qui fit l'objet par la suite de très nombreuses variantes de petites
dimensions. Tout en conservant la disposition initiale
des deux acteurs principaux qu'il a toutefois rappro-
chés, l'Albane a réduit l'échelle des figures et il a mis à
profit le format horizontal pour présenter la scène
dans un paysage lyrique ; un ange tenant le manteau
du Christ, un autre qui lui présente une serviette, ou
les spectateurs parmi lesquels se détache une mère
désignant le baptême à son enfant, transforment sur

Fig. 40
Annibal Carrache,
La Prédication de saint Jean-Baptiste, vers 1601,
Grenoble, musée des Beaux-Arts.

un mode plus intime la grandeur solennelle du retable bolonais. Quant à Dieu le Père, il apparaît toujours dans la partie haute, mais discrètement : on ne voit plus désormais que son buste au milieu d'une nuée d'angelots, comme dans la grande *Annonciation* de 1632 *(fig. 22)*, et non la figure monumentale qui dominait la scène en étendant les bras dans un geste d'une portée universelle. Pour l'accompagner, l'Albane a imaginé un pendant montrant un moment antérieur de l'histoire des Evangiles[98], jamais traité auparavant dans une œuvre de grand format et qu'il a interprété ici de manière presque anecdotique. Il est possible qu'il ait pris pour point de départ une œuvre de la période romaine d'Annibal Carrache[99] *(fig. 40)* mais il aurait dans ce cas inversé la relation des figures au paysage, qui a chez lui une importance bien moindre que chez son prédécesseur : de menaçante, la nature s'est transformée en un cadre serein et ensoleillé où des mères de famille sont venues avec leurs enfants écouter paisiblement la parole du Précurseur.

Les paysages, les palettes variées comme le traitement miniaturiste des figures de ces deux tableaux s'accordent aux œuvres peintes vers 1640. Ils doivent donc avoir rapidement quitté l'Italie et pourraient, auparavant, avoir inspiré Pier Francesco Mola, qui peignit deux versions assez proches des mêmes thèmes au cours des années 1640, alors qu'il se trouvait dans l'atelier de l'Albane[100]. Mais l'influence de ces compositions ne devait pas se limiter à Bologne et l'on peut signaler d'autres adaptations du *Baptême du Christ*,

sans qu'il soit toujours possible de décider si c'est le grand tableau de San Giorgio, celui de Lyon ou celles d'autres dérivations qui les ont inspirées. A Rome, Andrea Sacchi devait manifestement s'en souvenir pour l'un des tableaux exécutés en 1641-1644 pour le baptistère de Saint-Jean-du-Latran à Rome ; après lui, Carlo Maratta peignit à son tour ce sujet vers 1698 pour la chapelle des fonts-baptismaux de la basilique Saint-Pierre, en donnant ce qui est sans doute l'adaptation la plus fidèle du motif de l'Albane[101]. En France, enfin, Pierre Mignard semble s'en être souvenu lui aussi pour un grand *Baptême du Christ* *(fig. 41)* peint à son retour d'Italie et dont la composition, diffusée par plusieurs gravures, devait inspirer de même de nombreuses dérivations ou copies[102].

Fig. 41
Pierre Mignard,
Le Baptême du Christ, vers 1670-1675,
Troyes, église Saint-Jean.

26 Saint François d'Assise en oraison devant un crucifix

Vers 1640
Cuivre. H. 0,183 ; L. 0,144.
Paris, musée du Louvre. Inv. 8.

HISTORIQUE : Duc Braschi, Rome, avant 1798 ; prélevé par les commissaires de la République française et emporté en France, 1798 ; exposé au Musée central des Arts à partir de 1801 ; non réclamé et laissé au Louvre lors des restitutions de 1816.
BIBLIOGRAPHIE : Van Schaack, 1969, n° 133 ; Puglisi, 1983, n° 263 ; Loire, 1996, p. 48-51 ; Puglisi, 1999, n° 110.

Le sujet du tableau est conforme à l'iconographie de saint François telle qu'elle s'établit à la fin du XVIe siècle : le fervent pénitent tenant une tête de mort, symbole de vanité et de vie terrestre, se substitua alors au saint humain et charitable cher aux artistes du Moyen Age. Les traits poétiques de la légende du *Poverello* furent remplacés par des expériences mystiques plus conformes à l'idéal post-tridentin (le concert angélique de saint François, la remise du cordon, le regain d'intérêt pour le thème de la stigmatisation), et un type nouveau de saint pénitent se développa, en particulier en Italie dans des tableaux peints

par Cigoli, Annibal et Ludovic Carrache, ou Caravage, mais aussi dans des gravures sur ce sujet dont deux, dues à Augustin Carrache et Francesco Villamena[103], pourraient avoir inspiré le cuivre de l'Albane. Comme dans ces estampes, il mêle les thèmes du pénitent et du moine en prière : une main sur la poitrine, l'autre sur une tête de mort, le saint regarde la croix avec ferveur ; un rayon lumineux éclaire sa tête mais son attitude constitue une sorte de compromis entre l'emphase démonstrative de Villamena et la dévotion attentive et sereine d'Augustin Carrache. Si la gamme colorée privilégiant les demi-tons bruns et gris, la luminosité de la palette et la facture soignée désignent une œuvre postérieure aux années 1630, il est difficile de la dater précisément, faute de repères pour situer ses tableaux de cabinet tardifs dépourvus de toute relation avec de grands tableaux d'autel ou des cycles datés ; la lumière vive comme le paysage lointain évoqué par des nuances délicates de gris et de bleus permettent éventuellement de le dater vers 1640. Ce tableau de dévotion modeste et délicat, qui reste sa seule œuvre connue sur ce thème, montre ainsi l'Albane s'attachant tardivement à la représentation d'une figure isolée, un motif plus volontiers traité au cours de ses premières années romaines.

27 Tête de Vierge

Vers 1640-1645
Cuivre. H. 0,320 ; L. 0,254.
Caen, musée des Beaux-Arts. Inv. 253.

HISTORIQUE : Charles-Paul-Jean-Baptiste de Bourgevin Vialard de Saint-Maurice, Paris ; saisi à la Révolution au château d'Hondainville (Oise), 1793 ; remis au Musée central des Arts, 1797 ; envoi de l'État au musée de Caen, 1811.
BIBLIOGRAPHIE : Van Schaack, 1969, n° 49 (« disparu ») ; Brejon de Lavergnée et Volle, 1988, p. 34 ; Puglisi, 1999, n° 118.

On sait peu de choses sur l'origine des tableaux rassemblés par Bourgevin Vialard de Saint-Maurice (1743-1795), le premier propriétaire connu de ce cuivre, qui possédait essentiellement des dessins mais aussi des gravures, des objets d'art et des pierres dures. Il les conservait dans l'appartement du comte de Saint-Morys, rue Vivienne, à Paris, puis les transporta dans son château d'Hondainville où, avec sa précieuse collection, cette œuvre fut camouflée derrière une cloison. C'est là qu'elle fut découverte le 17 mai 1793, alors que le propriétaire, conseiller au Parlement et lui-même artiste amateur, avait émigré[104]. Inventoriée

CAT. 26

27

le chevalier de Lorraine (1644-1702), à Paris[105]. Le tableau de Caen a parfois été identifié comme une *Madeleine*, confusion qui pourrait avoir pour origine un cuivre de Guido Reni *(fig. 42)*, célèbre en France depuis le XVIIe siècle et qui montre de fait une composition assez proche ; mais tant la présence du voile sur la tête que la couleur des vêtements, un manteau bleu sur une robe rouge, ou l'absence de tout attribut spécifique assurent qu'il s'agit bien ici de la Vierge et non de la sainte pénitente. L'attribution à l'Albane est aisément confirmée d'autre part par les longs doigts sinueux et les plis des drapés, la délicatesse du halo orangé, le modelé du visage ou le dessin des yeux qui permettent de la comparer à la Vierge de la grande *Sainte Famille* du musée de Dijon (cat. 23) ou de *La Vierge en gloire avec des saints* (Bologne, Pinacoteca Nazionale)[106]. Mais cette figure en buste la bouche entrouverte, les yeux levés au ciel et les mains croisées sur la poitrine en signe d'acceptation, a certainement été conçue comme une œuvre indépendante, et non comme une étude pour un plus grand tableau ; évoquant des créations comparables de Guido Reni ou du Guerchin tout en s'en distinguant par le format réduit, cette image de dévotion précieuse est une rareté dans l'œuvre conservé de l'Albane.

peu après au dépôt de Nesles, à Paris, sous le nom de l'Albane, elle était déjà signalée comme agrandie d'une bande d'environ cinq centimètres en haut, le cuivre étant d'autre part doublé d'une plaque rivetée. Les sources mentionnent plusieurs tableaux sur ce sujet et l'on ne peut assurer que celui-ci puisse être confondu avec l'œuvre mentionnée par Félibien chez

Fig. 42
Guido Reni,
La Madeleine pénitente,
vers 1628-1629,
Versailles, musée national du Château.

28 La Sainte Famille

Vers 1645-1650
Cuivre. H. 0,57 ; L. 0,43.
Besançon, musée des Beaux-Arts et d'Archéologie ;
dépôt du Louvre. Inv. 6.

HISTORIQUE : Branjon ; vendu à Louis XIV qui le donne à Monseigneur, son fils, 1685 ; cabinet des tableaux du Roi à Versailles, 1709-1710 ; galerie des tableaux du Roi à Versailles, 1737 ; surintendance des Bâtiments à Versailles, 1760, 1784 et 1794 ; exposé au Musée central des Arts à partir de 1798 ; déposé au musée des Beaux-Arts de Besançon, 1895.
BIBLIOGRAPHIE : Van Schaack, 1969, n° 14 ; Puglisi, 1983, n° 210 ; Brejon de Lavergnée et Volle, 1988, p. 34 ; Loire, 1996, p. 373-374 ; Puglisi, 1999, n° 142.

La composition de ce petit cuivre reprend celle de la grande *Sainte Famille* de Dijon (cat. 23), en y ôtant cependant toute référence à la Passion. Malgré le grand portique corinthien derrière les personnages, la scène est moins solennelle et plus intime que dans le prototype : l'Albane a ajouté les figures de sainte Elisabeth et de saint Jean-Baptiste, son fils, dont l'Enfant Jésus caresse la joue, deux nouveaux venus dans une telle scène dont la présence pourrait dériver de tableaux de Raphaël comme *La Grande Sainte Famille*

CAT. 28

BIBLIOGRAPHIE : Van Schaack, 1969, nº 89 ; Puglisi, 1983, nº 225 ; Brejon de Lavergnée et Volle, 1988, p. 37 ; Puglisi, 1999, nº 151.

L'existence d'une gravure d'une composition similaire, peinte sur cuivre, figurant en 1778 dans la collection du grand-duc Pierre-Léopold, permet de penser que le tableau de Grenoble provient de Florence. L'une des dernières versions de ce thème peint par l'Albane, il intègre des motifs récurrents déjà anciens comme le saint Joseph en méditation (voir cat. 20 et 28) ou les deux anges en adoration (voir cat. 20 et 21), l'Enfant ayant jusqu'alors rarement été figuré endormi, dans une composition où le banc de bois procure un repos à la Sainte Famille tout en unifiant la scène ; la proue d'une barque visible à droite, d'autre part, a suggéré qu'il pouvait s'agir du *Retour de la fuite en Egypte*[108]. Si l'exécution des figures principales reste d'une qualité comparable à celle que l'on trouve dans des œuvres antérieures, la mise en place incertaine comme certains détails mal assurés du paysage pourraient traduire une intervention importante de l'atelier.

de *François Iᵉʳ* (Paris, Louvre), qu'il pouvait connaître par des gravures ou des copies. Quant aux angelots répandant des fleurs dans la partie haute, l'attitude de celui qui est situé à droite reprend en l'inversant celle de la figure représentée dans le *Saint André adorant la croix* (Bologne, Santa Maria dei Servi) de 1641. Le succès de la composition du tableau de Besançon est attesté par une autre version autographe (Dresde, Gemäldegalerie) [107] comportant quelques variantes, notamment dans le portique sur lequel sont posées deux colombes (une allusion au sacrifice de la Passion ou à l'Esprit Saint ?) et dans les instruments de charpentier placés devant saint Joseph.

29 *Le Repos pendant la fuite en Egypte*

Vers 1650
Cuivre. H. 0,34 ; L. 0,43.
Grenoble, musée des Beaux-Arts. Inv. M.G. 1.

HISTORIQUE : Probablement Poggio Imperiale, Villa Médicis, 1692 ; Florence, palais Pitti, 1723 ; grand-duc Pierre-Léopold, 1778 ; prélevé à Milan par les commissaires de la République française et emporté en France, 1799 ; envoi de l'Etat au musée de Grenoble, 1811 ; non réclamé lors des restitutions de 1815.

30 *Le Christ servi par des anges*

Vers 1650-1660
Cuivre. H. 0,39 ; L. 0,54.
Grenoble, musée des Beaux-Arts. Inv. 2.

HISTORIQUE : Comte Ettore Ghisiglieri, Bologne ; Bologne, sacristie de la Madonna di Galliera ; prélevé par les commissaires de la République française et emporté en France, 1799 ; envoi de l'Etat au musée de Grenoble, 1811 ; non réclamé lors des restitutions de 1815.
BIBLIOGRAPHIE : Van Schaack, 1969, nº 90 ; Puglisi, 1983, nº 261 ; Brejon de Lavergnée et Volle, 1988, p. 38 ; Puglisi, 1999, nº 138.
EXPOSITIONS : Paris, 1988-1989, nº 3.

Si l'Evangile selon saint Marc (i, 13) ne fait qu'évoquer la scène dans ce tableau, son exposé le plus complet se

CAT. 29

30

trouve dans celui de saint Matthieu (IV, 1-11) : après quarante jours de jeûne dans le désert, le Christ eut faim ; le démon tenta d'abord sa gourmandise en lui proposant de transformer les pierres en pain ; puis sa vanité, en le portant en haut du temple visible à droite dont l'architecture paraît inspirée de celle du Panthéon ; sa cupidité enfin, en le transportant sur une montagne. Il repoussa les tentations du diable « qui le laissa ; et en même temps les anges s'approchèrent et ils le servaient ». L'Albane a illustré ce dernier passage en montrant à droite saint Michel Archange chassant le démon, en s'inspirant peut-être des *Méditations* de saint Bonaventure pour le détail du repas du Christ. Le geste de bénédiction de celui-ci comme les burettes apportées par l'ange de droite pourraient évoquer la consécration du pain et du vin au cours de l'Eucharistie. Ce tableau fut saisi en 1799 dans la sacristie de l'église de la Madonna di Galliera de Bologne avec

deux autres œuvres de l'Albane, un *Christ ressuscité apparaissant à la Vierge* (Florence, palais Pitti) [109] et une *Allégorie des Vertus théologales*[110] à présent disparue. Les trois œuvres semblent avoir appartenu auparavant au comte Ettore Ghisilieri, un amateur bolonais qui avait institué en 1646 l'Accademia del Disegno, où l'Albane servit comme directeur et légua en 1665 ses collections aux pères oratoriens de la Madonna di Galliera. Si l'on ne connaît plus l'*Allégorie des Vertus théologales* que par une copie, il est assez vraisemblable que l'Albane l'avait conçue à l'origine comme un pendant du *Christ servi par des anges* : les deux œuvres étaient peintes sur cuivre, avaient des dimensions comparables, et leurs compositions, toutes deux symétriques et articulées sur une figure centrale, possèdent une frontalité affirmée qui s'accorde à leurs exposés de deux thèmes dogmatiques que l'Albane a su renouveler par des détails savoureux.

CAT. 31 (photographie avant restauration)

31 Le Père Eternel et l'ange Gabriel

Vers 1650-1660
Toile sur bois. 0,32 ; L. 0,43.
Paris, musée du Louvre. INV. 1.

HISTORIQUE : Président de Novion ; donné à Louis XIV,
1685 ; galerie des tableaux du Roi à Versailles, 1695 ; petit
cabinet proche la petite galerie du Roi à Versailles, 1709 ;
hôtel du duc d'Antin à Paris, 1715-1736 ; galerie des
tableaux du Roi à Versailles, 1737 ; cabinet du Billard à
Versailles ; exposé au palais du Luxembourg à Paris,
1750-1779 ; exposé au Muséum des Arts à partir de 1793 ;
déposé au musée de Sète de 1895 à 2000.
BIBLIOGRAPHIE : Van Schaack, 1969, n° 180 ; Puglisi, 1983,
n° 68 ; Loire, 1996, p. 370 ; Puglisi, 1999, n° 141.

Ce tableau est une reprise d'une composition peinte
par l'Albane à la voûte de l'abside de l'église Santa
Maria della Pace à Rome[111] (fig. 43). La fresque fut
commandée en 1611 par Gaspare Rivaldi, notaire du
tribunal de la Sacra Rota, qui finança la construction
et la décoration d'un nouvel autel pour cette église.
Suivant un programme iconographique complexe
destiné à mettre en évidence une image vénérée de la
Madone de la Paix, le thème général du décor est

Fig. 43
Le Père Eternel et l'ange Gabriel,
1612-1614,
Rome, Santa Maria della Pace.

l'établissement de la paix sur la terre, avec l'arrivée du
Christ promise par Dieu et annoncée par les pro-
phètes. La fresque de la lunette représente donc Dieu
le Père assis et envoyant l'archange Gabriel sur la
Terre ; un peu plus bas, à gauche, les figures de la Paix
et de la Justice s'embrassent et un ange désigne les
mots Osculatae sunt, tandis qu'à droite celles de la
Miséricorde et de la Vérité sont identifiées par l'inscription Obviaverunt sibi. Ces deux inscriptions se
réfèrent au verset 10 du psaume LXXXV (Misericor-
dia, et veritas obviaverunt sibi : justitia et pax osculatae
sunt), dont les premiers commentaires précisaient que
les Vertus en conflit seraient réconciliées avec la
venue du Christ. L'allusion à ce psaume enrichit le
contenu narratif de l'image de Dieu le Père dans la
fresque puisque les implications pour l'humanité de
l'envoi de son messager sous-entendues par ce verset
sont développées dans les tableaux latéraux de la chapelle[112], et dans L'Assomption de la Vierge peinte sur la
voûte également par l'Albane.

   Cette commande religieuse, régulièrement
considérée comme la plus importante des années
romaines de l'artiste, correspond à un moment où
l'Albane a commencé à exécuter des petits tableaux
de chevalet dérivés de ses compositions peintes à
fresque[113]. Dans le tableau du Louvre, il a modifié la
composition de la fresque en supprimant l'ange de
droite tenant une inscription et en ajoutant un autre
ange portant un lys à Gabriel. Dieu le Père a été
déplacé vers le centre de la composition et il est
entouré à présent d'une couronne de chérubins se
détachant sur un fond clair. Malgré quelques usures
dans la figure de Dieu, la qualité des visages, des ailes
et des drapés des principaux anges, comme les formes
presque translucides de ceux qui apparaissent autour
de l'ouverture de la partie supérieure plaident en
faveur d'une attribution à l'Albane lui-même : à la fin
de sa vie, il aurait repris cette composition de sa
période romaine à des fins commerciales. Peint sur
une toile collée sur un support de bois au moins
depuis le milieu du XVIIIe siècle, cette œuvre de dévotion a été, jusqu'à la Révolution, toujours jugée précieuse ; c'est aussi l'un des rares tableaux italiens du
Louvre qui ait conservé le beau cadre ouvragé réalisé
à son intention après son entrée dans les collections
royales[114].

Deux problèmes d'attribution

Entrés dans la collection de Louis XIV comme des œuvres d'Annibal Carrache, ces deux tableaux ont été longtemps célèbres sous ce nom jusqu'à ce que le renouveau des études sur la peinture bolonaise, dans les années 1950, conduise à mettre en cause ces attributions traditionnelles. Formulées très récemment, leurs restitutions à l'Albane permettraient éventuellement de rattacher à sa période romaine (1601-1617), celle qui comporte le plus d'incertitudes, ces œuvres assez différentes mais cependant très fortement marquées par l'ascendant d'Annibal Carrache. Par leurs formats, par la typologie et le modelé des figures, comme par la place dévolue au paysage, ils possèdent d'autre part de nombreux points communs avec des petits tableaux de dévotion qui ont occupé une part importante de son activité à cette époque, ou encore avec les lunettes Aldobrandini. Toutefois, les sources reconnaissent à l'Albane une place éminente au sein du milieu romain des disciples d'Annibal Carrache, il n'était pas le seul d'entre eux à pouvoir se rapprocher de la manière de son aîné au point de permettre une confusion. Les insérer dans le catalogue des tableaux de l'Albane constitue actuellement pour chacun d'eux la proposition la plus satisfaisante ; mais seules des confrontations comme celles que permet cette exposition permettront éventuellement de les résoudre de façon définitive.

CAT. 32

confonde avec un *Saint Sébastien* de « Carrache » que le cardinal de Richelieu, oncle du précédent, aurait reçu en 1632 du duc de Montmorency alors que celui-ci montait sur l'échafaud, et qu'il fit placer dans son château du Poitou, aux murs de sa propre chambre à coucher. Le nom de l'Albane a été avancé à son sujet dès 1948 mais cette attribution est loin d'avoir fait l'unanimité des spécialistes qui ont toutefois abandonné le nom d'Annibal Carrache, dans l'atelier duquel il aurait éventuellement été peint[115]. Il n'est pas non plus aisé de déterminer sa relation précise avec un tableau de composition voisine conservé à Gênes et présentant quelques variantes *(fig. 44)* : parfois donné lui aussi au Dominiquin ou à l'Albane, il a pu être considéré comme la copie du tableau du Quimper ou, au contraire, comme son prototype[116]. L'existence de ces deux tableaux comme d'autres versions de cette composition comportant des variantes significatives[117] pourraient renvoyer à un modèle dont la paternité reste incertaine. La figure principale et les montagnes lointaines du fond évoquent incontestablement l'activité de l'Albane au début de son séjour romain, mais l'importance accordée aux figures secondaires, l'aspect trop décoratif de la draperie du premier plan ou encore une certaine dureté dans le paysage ne permettent pas de trancher sans hésitation en sa faveur.

32   *Le Martyre de saint Sébastien*

Vers 1600-1605 (?)
Toile. H. 1,25 ; L. 0,96.
Quimper, musée des Beaux-Arts ;
dépôt du Louvre. Inv. 205.

HISTORIQUE : Duc de Richelieu ; vendu à Louis XIV, 1665 ; chambre du Roi à Versailles, 1695 ; grand appartement du Roi à Versailles, 1709 ; surintendance des Bâtiments à Versailles, 1760 et 1784 ; transporté de Versailles au Louvre, 1792 ; exposé au Muséum des Arts à partir de 1793 ; déposé au musée des Beaux-Arts de Quimper, 1897.
BIBLIOGRAPHIE : Van Schaack, 1969, p. 224-225 (« Annibal Carrache ») ; Puglisi, 1983, n° 16 (« Albane ») ; Brejon de Lavergnée et Volle, 1988, p. 36 *(idem)* ; Loire, 1996, p. 385-388 (« Entourage d'Annibal Carrache ») ; Puglisi, 1999, n° 22 [A] (« Attribué à l'Albane, vers 1604 »).
EXPOSITIONS : Bologne, 1956, n° 103 (« Annibal Carrache ») ; Rouen, 1961, n° 15 *(idem)*.

Ce *Saint Sébastien* a été longtemps admiré sous le nom d'Annibal, en particulier par Louis XIV qui l'avait fait placer dans sa propre chambre, à Versailles, en 1695. Auparavant, il avait appartenu au duc de Richelieu chez qui le Bernin l'admira à Paris en 1665 ; il n'est pas certain cependant qu'il se

Fig. 44
Attribué à l'Albane,
Le Martyre de saint Sébastien,
Gênes, Palazzo Durazzo Pallavicini.

CAT. 33

33 *La Lapidation de saint Etienne*

Vers 1600-1605 (?)
Toile. H. 0,505 ; L. 0,667.
Paris, musée du Louvre. Inv. 203.

HISTORIQUE : Peint pour le cardinal Jacopo Sannesio à
Rome ; marquise Sannesio, Rome ; Everhard Jabach (?) ;
duc de Richelieu, Paris ; vendu à Louis XIV, 1665 ;
collection de Louis XIV à Versailles ; hôtel du duc
d'Antin à Paris, 1715-1736 ; galerie des tableaux du Roi
à Versailles, 1737 ; surintendance des Bâtiments à
Versailles, 1760, 1784 et 1794 ; transporté de Versailles au
Louvre, 1797 ; exposé au Musée central des Arts à partir
de 1798.
BIBLIOGRAPHIE : Loire, 1996, p. 146-149 (« Annibal
Carrache et atelier ») ; Puglisi, 1999, n° 25 [A] (« Attribué
à l'Albane »).
EXPOSITIONS : Rouen, 1961, n° 13 (« Annibal Carrache ») ;
Dijon-Lyon-Rennes, 1964-1965, n° 7 (*idem*) ; Paris, 1983,
n° 530 (« Attribué à Annibal Carrache ») ; Kobé-
Yokohama, 1993, n° 69, repr. couleurs (« Annibal
Carrache et atelier ») ; Taipei, 1995, n° 24, repr. couleurs
(*idem*) ; Rome, 2000, n° 10, repr. couleurs.

Ce tableau a parfois été confondu avec un cuivre de
même sujet provenant également de la collection de
Louis XIV[118] (*fig. 45*), mais c'est cette version sur toile

qui fut exécutée pour le cardinal Jacopo Sannesio[119].
Un proche du cardinal Pietro Aldobrandini, le neveu
du pape Clément VIII, Sannesio, avait été nommé
par celui-ci cardinal-prêtre de San Stefano in Monte
Rotondo, à Rome, le 9 juin 1604, une nomination qui
pourrait expliquer le choix du sujet. La composition

Fig. 45
Annibal Carrache,
La Lapidation de saint Etienne,
vers 1603-1604,
Paris, musée du Louvre.

est assez proche de celle du cuivre où figuraient déjà le Christ en haut, et Saül, le futur saint Paul, au premier plan. Saint Etienne écarte les mains, qu'il tenait précédemment jointes, et il semble prononcer les paroles que lui attribuent les Actes des Apôtres (VII, 56) (« Je vois les Cieux ouverts, et le Fils de l'homme debout à la droite de Dieu »). Rejoints par un enfant portant des pierres dans le pan de sa robe, les lapidateurs sont plus animés qu'auparavant mais les expressions de leurs visages sont moins détaillées, reflétant moins bien les mouvements intérieurs – les *affetti* — que l'auteur du cuivre avait su mettre en évidence. L'attitude de Saül est elle aussi différente et les murs de la ville ont été abaissés sur l'horizon pour laisser voir un paysage lointain, la scène paraissant plus ample, comme vue d'un point plus élevé sur l'horizon. La toile montre en outre des relations spatiales moins précises entre les figures, ce qui a pour conséquence une moindre concentration dans l'exposition de l'action. La paternité d'Annibal Carrache pour ce tableau a été écartée depuis une trentaine d'années et les noms du Dominiquin, de l'Albane et d'Antoine Carrache (vers 1583-1618) ont été tour à tour avancés[120], certains spécialistes envisageant qu'Annibal l'ait d'abord commencé avant que l'Albane ne l'achève. Selon Puglisi (1999), Sannesio aurait pu demander à celui-ci un tableau d'un esprit voisin de celui des lunettes Aldobrandini *(fig. 13)* auxquelles il

peut être comparé pour les figures compactes et gesticulantes, et le style des draperies aux plis minuscules et aux rythmes gracieux[121]. Il est assez remarquable que l'érudition récente ait retrouvé une attribution donnée au XVIIᵉ siècle, quand le tableau fut l'objet d'une *Conférence* prononcée par Nicolas Loir devant l'Académie royale de Peinture et de Sculpture, le 5 janvier 1669 : on l'estimait alors « de la main de l'Albane, qui ayant esté disciple du mesme Carache a fait le sien sous l'inspection et sous la conduite de son maistre qui mesme l'a retouché en quelques endroits[122] ». Cette œuvre fut donc très tôt associée à l'Albane mais on ignore si des documents liés à sa provenance sont à l'origine de cette attribution et il reste surprenant que les premiers inventaires des collections royales n'en fassent pas état. Pourtant, la confrontation avec *L'Assomption de la Vierge* de la galerie Doria Pamphilj *(fig. 13)* ne semble pas tout à fait décisive : malgré les différences de traitement imputables aux différences des formats, la lunette romaine possède une cohésion interne, un souci de caractérisation des types dans les figures et une ampleur monumentale qui semblent faire défaut ici. Il manque enfin au tableau du Louvre la définition atmosphérique des fonds du paysage par un *sfumato* présent dans *L'Assomption de la Vierge*, que l'on retrouvera dans les paysages mythologiques de sa maturité.

L'Albane et la postérité

Joseph Chinard (1756-1813)

34 *L'Albane*

Marbre. H. 0,83 ; L. 0,61 ; Pr. 0,35. Signé sur l'épaule
gauche.
Paris, musée du Louvre, département des Sculptures.
Inv. MR 2152.

<small>HISTORIQUE : Commandé pour la décoration des galeries
du musée Napoléon au Louvre ; présenté à Paris au Salon
de 1808 (n° 656) ; déposé au musée de Saint-Etienne de
1885 à 2000.
BIBLIOGRAPHIE : Clarac, VI, 1853, p. 245-246, n° 3613, pl.
gravée 1130 ; Desvernay, 1915, p. 134-135 ; Audin et Vial,
I, 1918, p. 190 ; Vitry, 1930, p. 139 ; Bresc, cat. exp. Paris,
1999-2000, p. 136-137.</small>

Ce buste appartient à une suite destinée au décor de la
Grande Galerie du musée Napoléon au Louvre et
constituée d'effigies des peintres retenus alors comme
les plus importants pour l'histoire de l'art. S'apparen-
tant sur un mode mineur à la série des Grands
Hommes de la France constituée sous le règne de
Louis XVI, cet ensemble prenait pour point de départ
deux bustes de Raphaël et d'Annibal Carrache exécutés au XVIIe siècle par Alessandro Rondoni et entrés au
Louvre dès la Révolution avec la saisie du Garde-
Meuble royal. Sept bustes avaient été commandés à
partir de 1802 (Poussin, Philippe de Champaigne,
Sébastien Bourdon, Eustache Le Sueur, Rubens, Léonard de Vinci, le Dominiquin), auxquels s'en ajoutè-
rent quatorze autres, à la suite de pétitions d'artistes
exclus du choix des sculpteurs retenus pour la première commande. Il semble que la moitié des bustes
prévus n'aient pas été exécutés, vraisemblablement
par manque d'argent, dont ceux de Caravage et de
Guido Reni. Devenu directeur du musée Napoléon
en 1803, Vivant Denon ajouta à la liste initiale les
noms de Gérard Dou, Véronèse, l'Albane, et Claude
Lorrain, et l'exécution de la série se poursuivit rapidement puisque la plupart des bustes étaient livrés en
1808. Cette série allait toutefois être reprise sous la
Restauration, et l'effigie de l'Albane fut bientôt

rejointe par celles d'autres peintres bolonais : celle du
Dominiquin commandée en 1816 à Julie Charpentier,
celle de Guido Reni en 1826 à Cavasse (toutes deux à
Paris, musée du Louvre) ; quant à celle du Guerchin
par Hippolyte Brion (1799-1863), elle ne dut pas rester longtemps dans les salles du Louvre puisqu'elle
fut déposée dès 1850 au musée de Picardie d'Amiens.
Artiste confirmé, Chinard s'était déjà acquis une
renommé de brillant portraitiste au moment de la
commande de ce buste. Mais il s'agissait d'une effigie
rétrospective et le sculpteur a pu éventuellement
s'inspirer de portraits gravés, le premier en date étant
sans doute celui qui orne la première édition de la
Felsina Pittrice (1678) de Malvasia. Chinard l'a représenté paraissant plus jeune que sur ces différentes
estampes, avec un visage moins rond, et il a agré-
menté son portrait d'un beau médaillon représentant

CAT. 35

Les Trois Grâces. On ne connaît aucun tableau de l'Albane évoquant ce sujet et ce motif pourrait faire allusion au surnom de « peintre des grâces » qui lui fut très tôt donné en France.

Pierre-Jérôme Lordon (1780-1838)

35 *L'Atelier de l'Albane*

Toile. H. 1,02 ; L. 1,29.
Dunkerque, musée des Beaux-Arts. Inv. P.76.13.

HISTORIQUE : Présenté à Paris au Salon de 1834 (n° 1294) ; acquis en 1977.
BIBLIOGRAPHIE : *La Revue du Louvre et des musées de France*, 1977, n° 12, p. 48, fig. 1 ; Kühnmunch, cat. exp. Dunkerque, 1983-1984, n° 13, repr. ; Georgel, cat. exp. Dijon, 1982-1983, p. 107, fig. 149 ; Montagu, 1989, p. 18-19, fig. 22 ; Cropper, 1996, p. 408, fig. 6 ; Puglisi, 1999, p. 19, fig. 6.

Servant dans l'artillerie après avoir été élève à l'Ecole polytechnique, Lordon quitta par la suite l'armée pour se consacrer à la peinture en entrant dans l'atelier de Pierre-Paul Prud'hon. Le tableau a pour point de départ l'anecdote racontée par Malvasia selon laquelle l'épouse de l'Albane suspendait au plafond l'un ou l'autre de leurs douze enfants afin qu'il s'en

servît comme modèle[123]. Repris dans d'autres biographies, en particulier celle qui fut publiée en 1803 par Charles-Paul Landon en tête de son recueil de reproductions gravées d'après l'Albane[124], le récit fut utilisé par le rédacteur du Salon de 1834, où la toile était exposée : « Un de ses enfants lui sert de modèle, et pendant qu'il peint, ses amis, le Dominiquin et François Duquesnoi dit le Flamand, sont occupés, l'un à dessiner et l'autre à modeler. » Si la présence de ces deux artistes pouvait alors paraître aller de soi, elle est

Fig. 46
Hippolyte Lazerges (1817-1887),
L'Albane regardant jouer ses enfants, 1857,
Narbonne, musée des Beaux-Arts.

en fait très peu vraisemblable : le Dominiquin quitta Bologne en 1621 tandis que Duquesnoy (Bruxelles, vers 1594-Livourne, 1643) parvint à Rome en 1618; il est donc peu probable que les deux artistes aient eu l'occasion d'assister à une telle scène puisqu'elle se situe nécessairement à Bologne, après le mariage de l'Albane en février 1618. Comme ses autres biographes français, Landon avait sans doute lu celle de Félibien (1685), qui semble avoir mal interprété, ou pris quelque liberté avec le texte de Malvasia : avant l'anecdote reprise par Félibien, celui-ci faisait en effet déjà référence auparavant aux « Amours immobiles de Duquesnoy et de l'Algarde pendus aux murs dans les ateliers des peintres », mais il ne précisait nullement que de telles mises en scène avaient lieu devant d'autres artistes[125]. Quoi qu'il en soit, Lordon a donné une interprétation savoureuse de l'épisode : la petite fille nue n'est pas fixée à la potence sous laquelle elle apparaît mais sa mère l'a lancée en l'air et s'apprête à la rattraper, et l'Albane la saisit littéralement en vol afin de la peindre dans cette position. S'inscrivant dans une véritable mode pour les tableaux illustrant les vies des peintres anciens au cours du XIXᵉ siècle[126], le tableau de Lordon voisinait au Salon de 1834 avec d'autres illustrations particulièrement abondantes et souvent imaginaires des biographies d'autres artistes[127]. Sans faire l'objet d'autant de sujets peints comparables aussi nombreux que ceux consacrés à Cimabue, Giotto, Le Sueur, Michel Ange, Poussin, Salvator Rosa ou surtout Raphaël, la vie de l'Albane inspira à d'autres reprises les artistes exposant aux Salons du XIXᵉ siècle, qui prirent toujours sa vie de famille pour objet : Georges Rouget exposa un *L'Albane et sa famille* (nº 1407) et Emile Wauters un *L'Albane peignant sa famille* (nº 1629) au Salon de 1847, et Hippolyte Lazerges montra un *L'Albane regardant jouer ses enfants (fig. 46)* à celui de 1857 (nº 1625)[128].

CAT. 36

CAT. 37

Pierre-Etienne Monnot (1657-1733)

36 *Le Repos de Vénus et de Vulcain*
Bas-relief en terre cuite. H. 0,572; L. 0,665.
Paris, musée du Louvre, département des Sculptures.
Inv. RF 4564.

37 *Adonis conduit près de Vénus par les Amours*
Bas-relief en terre cuite. H. 0,56; L. 0,68.
Paris, musée du Louvre, département des Sculptures.
Inv. RF 4566.

HISTORIQUE : Probablement commandés par le prince Livio Odescalchi, Rome, 1693 ; inventoriés parmi les biens du sculpteur, 1733 ; vraisemblablement entrés au Louvre au XIXᵉ siècle.
BIBLIOGRAPHIE : Beaulieu, 1962, p. 33-38, fig. 1 et 4 ; Fusco, 1988, p. 74-75, nᵒˢ 84 et 87 ; Walker, 1994, p. 185-190, 320, nᵒˢ 15-16 ; Bacchi, 1996, p. 826, fig. 622-623 ; Gaborit, 1998, p. 496-497, repr.

Ces deux bas-reliefs appartiennent à un ensemble de quatre, tous mutilés et conservés au Louvre, qui reproduisent les compositions des quatre tableaux de l'*Histoire de Vénus* (cat. 12-15). Ils sont cités dans l'inventaire après décès du sculpteur (1733) et leur commande par le prince Odescalchi serait en rapport avec des reliefs de marbre de mêmes sujets qui furent

CAT. 38   CAT. 39   CAT. 40

inventoriés parmi ses biens en 1713 et se trouvaient à la fin du xviiie siècle dans la salle de Silène de la galerie Borghèse de Rome. Le marbre correspondant à *La Toilette de Vénus* ornait le piédestal d'une statue antique de César de la collection du prince Odescalchi et se trouve à présent au Palacio Real de La Granja de San Ildefonso[129]. Réalisés après l'arrivée en France des tableaux de l'Albane, ces reliefs ont certainement été exécutés à partir des gravures d'Etienne Baudet, elles aussi inversées. Ces sculptures ne sont d'ailleurs pas les copies textuelles des gravures mais des interprétations dans lesquelles Monnot a resserré les compositions et supprimé, modifié ou remplacé des détails trop exclusivement picturaux.

Flandres, xviiie siècle

38   *La Toilette de Vénus*
Tapisserie. H. 2,94 ; L. 2,88.
Paris, musée du Louvre,
département des Objets d'art. Inv. OA 9402 A.

39   *Le Repos de Vénus et de Vulcain*
Tapisserie. H. 2,94 ; L. 2,88.
Paris, musée du Louvre,
département des Objets d'art. Inv. OA 9402 B.

40   *Adonis conduit près de Vénus par les Amours*
Tapisserie. OA 9402 C. H. 2,92 ; L. 2,88.
Paris, musée du Louvre,
département des Objets d'art. Inv. OA 9402 C.

HISTORIQUE : Legs de Mme Georges Lebey, née Marie Chassang (vers 1858-1944).

Parmi les autres adaptations de la série de l'*Histoire de Vénus* (cat. 12-15), il convient enfin de citer plusieurs séries de tapisseries. Au moins huit séries complètes tissées en Angleterre et dans les Flandres ont été recensées[130], auxquelles on peut ajouter la suite incomplète conservée au Louvre. Les origines de ces différentes tentures sont mal connues, mais si la plupart proviennent d'ateliers bruxellois, les modèles de l'Albane semblent également avoir intéressé les lissiers parisiens : à la tête d'un atelier privé du faubourg Saint-Antoine, Claude Tessier, associé avec le marchand Bouille en 1695, renonçait à l'entreprise en lui livrant un « dessein de l'Albane », vraisemblablement un modèle tiré de l'une des scènes de l'*Histoire de Vénus*[131]. On connaît en outre des pièces isolées tissées à Aubusson ou à Beauvais au xviiie siècle[132]. Les compositions de l'Albane étaient toutefois susceptibles d'adaptations multiples, dans les techniques les plus variées et dans tous les formats, sur des plats en faïence de Rouen (fig. 6), des objets en porcelaine de Sèvres[133], ou encore des reliefs en ivoire[134](fig. 47).

Fig. 47
Ivoire sculpté, xviiie siècle (?),
Adonis conduit près de Vénus par les Amours,
Vienne, Kunsthistorisches Museum.

NOTES

1. Mancini, vers 1621 (1956-1957), I, p. 241-242 ; Scannelli, 1657, p. 364-366 ; Scaramuccia, 1674 ; Sandrart, 1675 (1925), p. 279 ; Passeri, vers 1678 (1934), p. 260-278 ; Malvasia, 1678 (1841), II, p. 149-197.

2. Il y fait allusion à plusieurs reprises dans les *Vies* qui ont été publiées (Bellori, 1672 [1976], p. 8, 103).

3. Le premier catalogue de l'œuvre de l'Albane a été dressé dans la thèse de Van Schaack (1969), qui n'a malheureusement jamais été publiée sous forme de livre. Puglisi (1983) en a donné un second, largement remanié dans sa monographie (1999) qui constitue désormais la somme des connaissances disponibles sur l'Albane. Voir aussi Loire, 2000.

4. Malvasia, 1678 (1841), II, p. 150.

5. Puglisi, 1999, p. 87-89, n° 1.i-xi.

6. *Ibid.*, p. 92-93, n° 2.v.

7. *La Vierge à l'Enfant avec les saintes Catherine et Madeleine*, Bologne, Pinacoteca Nazionale ; *ibid.*, p. 93, n° 4.

8. Bellori, 1672 (1976), p. 308.

9. Puglisi, 1999, p. 104-108, n° 24.i-iv.

10. Posner, 1971, II, p. 66-68, n°ˢ 145-150.

11. Puglisi, 1999, p. 112-119, n° 34.i-xix.

12. *La Bénédiction de Jacob, Le Songe de Jacob, Jacob et Rachel au puits* ; *ibid.*, p. 119-121, n° 35.i-iii.

13. L'Albane fut payé en 1610 pour sa participation à ce décor ; *ibid.*, p. 124-125, n° 37.

14. *Ibid.*, p. 121-124, n° 36.i-ix.

15. *Ibid.*, p. 125-128, n° 38.i-xii.

16. *Ibid.*, p. 130-131, n° 40, 137-138, n° 51 [L]. La composition du *Saint Laurent Giustiniani* est connue par une gravure réalisée au XVIIIᵉ siècle, lorsqu'il se trouvait à Paris, dans la galerie d'Orléans.

17. Cette composition est connue par plusieurs copies dont l'une est donnée au Dominiquin (Spear, cat. exp. Rome, 1996-1997 (1), p. 400-401, n° 15).

18. Puglisi, 1999, p. 95-96, n° 7.

19. *Ibid.*, p. 94-95, n° 6.

20. Pour une reproduction, voir cat. exp. Bologne, 1984, p. 154-155, n° 98.

21. Puglisi, 1999, p. 97, n° 10.

22. *Ibid.*, p. 100, n° 14.

23. Bois transposé sur toile. H. 0,66 ; L. 0,50. Daté par Puglisi vers 1650-1660 (*ibid.*, p. 202, n° 127 [S]).

24. Posner, 1971, II, p. 39-40, n° 92, pl. 92c.

25. Puglisi, 1999, p. 204, n° 132.

26. Londres, 21 décembre 1803, n° 15 ; Londres, 26 février 1810, n° 605, marbre ; Amsterdam, 27 mai 1818, n° 60, bois, H. 0,351, L. 0,514 ; Londres, 26 juin 1824, n° 2, rond, sur cuivre (références tirées du Getty Provenance Index). On peut y ajouter une autre composition de l'Albane ou de son atelier, non répertoriée par Puglisi, qui est passée en vente à Stockholm, Norden Auktionen AB, 23 avril 1997, n° 182 (bois, 24 x 31 cm).

27. Puglisi, 1999, p. 135-136, n° 48.i-iv.

28. Sur le tableau d'Annibal Carrache, voir Posner, 1971, II, p. 50, n° 112. Cette œuvre a pour pendant une *Toilette de Vénus* (Bologne, Pinacoteca Nazionale) qui reviendrait en fait à l'Albane vers 1610 (Puglisi, 1999, p. 112, n° 33) et serait son premier traitement connu de ce sujet.

29. Malvasia, 1678 (1841), II, p. 176 ; Loire, 1996, p. 44 ; Puglisi, 1999, p. 190.

30. *Ibid.*, p. 155, n° 69.

31. *Ibid.*, p. 179-181, n° 94.

32. *Ibid.*, p. 144-146, n° 60.i-iv.

33. Cuivre. H. 0,321 ; L. 0,407. Londres, vente Christie's, 16 avril 1999, n° 117 (« Atelier de l'Albane »)

34. Lucerne, vente Fischer, 5-6 novembre 1992, n° 2098 ; gouache sur vélin. H. 0,16 ; L. 0,34.

35. Tableau peint vers 1645-1650. Puglisi, 1999, p. 198-199, n° 120.

36. *Ibid.*, p. 144, n° 59.V.g, 199, n° 120.V.f.

37. Le cycle du Louvre est mentionné par les principaux biographes de l'Albane : Scannelli, 1657, p. 365 ; Bellori, 1664 (1976), p. 50-52 ; Passeri, vers 1678 (1934), p. 269 ; Malvasia, 1678 (1841), II, p. 156, 162, 163, 177 et 197 ; Baldinucci, 1681-1728 (1845-1847), V, p. 53. L'essentiel de la correspondance relative à sa commande par le duc de Mantoue a été publié par Luzio, 1913, p. 294-298.

38. Pour le détail de cette acquisition, voir les lettres publiées par Brejon de Lavergnée, 1995 (1996), p. 142, 144-145.

39. Malvasia, 1678 (1841), II, p. 163.

40. Cette interprétation a été défendue en particulier par Flemming, 1996.

41. Un « tableau avec des jeux en l'honneur de Vénus comprenant de nombreux putti, qui allument des torches, dansent et jouent autour de sa statue » était inventorié vers 1639 dans la collection de Christine de Suède (Campori, 1870, p. 345-346). Cette description évoque précisément *L'Offrande à Vénus* (Madrid, musée du Prado), l'une des *Bacchanales Aldobrandini* de Titien.

42. Malvasia, 1678 (1841), II, p. 153-154 ; Félibien, IV, 1685, p. 221-222 : « Sa femme se trouva si propre à ce qu'il souhaitoit, qu'avec la fraischeur de son âge & la beauté de son corps, il y reconnut tant d'honnesteté, tant de graces & des maniéres de bienseance si propres à estre peintes, qu'il n'eust pû rencontrer ailleurs une personne plus accomplie. Aussi a-t-il représentée souvent sous la figure de Venus ; & dans la suite elle luy fournit un nombre assez grands de petits Amours si beaux & si bien faits, que c'est d'après eux que François le Flamand & l'Algarde, excellens Sculpteurs, ont modelé les petits enfans que l'on voit de la main de ces deux sçavans hommes. De sorte que l'Albane trouvoit chez luy en sa femme & en ses enfants les originaux de tous ce qu'il a peint de plus agréable & de plus gracieux. Sa femme se conformoit de telle maniére à ses intentions, qu'elle prenoit plaisir de disposer ses enfans en diverses attitudes, & de les tenir elle-mesme nuds, & quelquefois suspendus en l'air par des bandelettes, pendant que l'Albane les desseignoit en mille différentes maniéres. »

43. Ces précisions sur les sources modernes utilisées par l'Albane sont données par Malvasia (1678 (1841), II, p. 155-156) qui précise que l'artiste se désolait de ne pouvoir lire Ovide en latin.

44. Cette évolution de la peinture romaine a été depuis longtemps mise en rapport avec la présence à Rome des *Bacchanales Aldobrandini* de Titien qui arrivèrent à Rome en 1598 mais ne semblent avoir été accessibles aux artistes qu'à la fin des années 1620. Il semble d'autre part que l'Albane ne se soit pas rendu à Venise avant le milieu des années 1630 (Puglisi, 1999, p. 75, note 67).

45. Loire, 1996, p. 189-194.

46. Malvasia, 1678 (1841), II, p. 193 : « … il se délectait à travailler au milieu des champs, au bon air, partageant son temps à donner deux coups de pinceau et à regarder les laboureurs au travail, en leur conseillant de s'appliquer pour travailler la terre et de tenir leur soc bien droit. »

47. Claude Lorrain, *Paysage avec Herminie et les bergers*, Holkham Hall, collection Leicester ; *Paysage avec l'embarquement de Carlo et Ubaldo*, Toronto, Art Gallery of Ontario (Roethlisberger, 1961, p. 392-395, n° 166, fig. 268, 397-398, n° 168, fig. 269).

48. L'architecture de ce palais peut être rapprochée de la Villa del Pignetto édifiée par Pierre de Cortone près de Rome en 1626-1630 (disparue) mais aussi des « reconstructions » d'édifices antiques par Giovanni Battista Montano.

49. Dans l'une des versions de ce thème (Washington, National Gallery), Crespi a inversé la relation entre les nymphes et les Amours : ce sont eux qui désarment les compagnes de Diane.

50. Gravures par Benoît Audran (1661-1721), Etienne Baudet (1672), et une série anonyme éditée chez François et Gabrielle Landry aux XVIIᵉ-XVIIIᵉ siècles.

51. Un repentir est apparu lors de la récente restauration : une tête de cheval dans la draperie tenue par les deux putti, en haut du tableau, pourrait signifier que l'Albane avait songé à placer à cet endroit le char de Mars figurant dans la version romaine de ce sujet.

52. Puglisi, 1999, p. 194-195, n° 114.i-iv.

53. *Ibid.*, p. 172-173, n° 84-85.

54. Despierres, 1893, p. 258 : « Un tableau de l'assemblée des dieux du seigneur François Albani avec sa cornige dorée » ; « Un tableau de François Albany des quatre saisons avec sa cornige dorée » ; « Un tableau de Neptune de François Albany ».

55. Malvasia, 1678 (1841), II, p. 156, 162 ; Baldinucci, 1681-1728 (1845-1847), IV, p. 53 ; Passeri, 1678 (1934), p. 269 (« ... *tutte le Deità de Gentili, le Celesti, le Terrestri, le Marittime, e l'Infernali* ») ; Félibien, IV, 1685, p. 222 et 223.

56. Le texte de Malvasia (1678 (1841), II, p. 165, 176) permet de penser que l'Albane n'avait pas peint le quatrième tableau : « ... *gl'Infernali restarono indietro per causa che quel Sig. delicato le pareva di aver a ricevere quel orrore facendosi anco gl'Infernali, ma questo s'ingannava poiché si saria rappresentato ec.* ». Mais Félibien (IV, 1685, p. 223) laisse éventuellement supposer qu'il avait bien été réalisé : « Il s'en falloit aussi beaucoup, qu'il eust pour représenter les hommes, les mesmes talens pour bien peindre les femmes ; ayant un don tout particulier pour les faire agreables, & pour bien imiter une chair délicate, pleine & gracieuse. Il peignoit au contraire le corps de l'homme foible, sec & décharné ; & c'est pour cela que le mesme Auteur de la Vie de l'Albane dit, que le Comte de Carouge, qui estant en Italie, acheta trois des quatre tableaux dont je viens de parler, ne se soucia pas d'avoir celuy qui représente les Divinitez de l'Enfer. »

57. *Neptune et Amphitrite*. Cuivre. H. 0,88 ; L. 1,03. Puglisi, 1999, p. 165-166, n° 75.iii. Vente Christie's, Londres, 29 octobre 1999, n° 99 (repr. en couleurs dans le catalogue).

58. Notamment une copie d'atelier de l'*Apollon et Mercure* (Rome, Galleria Nazional d'Arte Antica).

59. Volpe, cat. exp. Bologne, 1962, p. 145.

60. Puglisi, 1999, p. 146, n° 60.iv.

61. L'identification des personnages était donnée par l'Albane dans une lettre à Maurice de Savoie publiée par Malvasia (1678 (1841), II, p. 157). Il y expliquait qu'il n'avait pas représenté l'Hiver, car cela n'était pas approprié au thème de la fertilité et à la personnalité sereine du commanditaire.

62. Cooney et Malafarina, 1976, p. 117-118, n° 105 G, fig. 105 G.

63. Brejon de Lavergnée et Volle, 1988, p. 36 ; Puglisi, 1999, p. 165, n° 75.ii.V.a.

64. Puglisi, 1999, p. 149-150, n° 65.

65. *Ibid.*, p. 153-154, n° 68.

66. Un *Saint Sébastien* vers 1633-1636 pour la Confraternità de' Battuti Bianchi de Forlì ; *La Vierge à l'Enfant avec les saints Sébastien et Roch* en 1640 pour la collégiale de San Giovanni in Persiceto ; *Les Saints Sébastien et Roch* vers 1647-1650 pour Santa Maria dei Poveri à Cremona.

valcore (*ibid.*, p. 176, n° 89, 177, n° 91, 184-185, n° 99).

67. *Ibid.*, p. 177, n° 90.

68. Aux relations amicales qu'ils entretenaient avant leur départ pour Rome en 1601 avait succédé une inimitié farouche, au point de provoquer l'apparition de deux factions ennemies à Bologne, les *Guidisti* et les *Albanisti* (Malvasia, 1678 (1841), II, p. 178).

69. Cette installation à Bologne, où il n'avait jusque-là reçu que des commandes mineures pour des églises, lui permit d'y obtenir une position éminente dans ce domaine ; mais il ne pouvait nullement constituer une menace pour la principale activité de l'Albane à cette époque, l'exécution de tableaux de cabinets à sujets profanes ou sacrés.

70. *Le Martyre des saints Procès et Martinien*, 1629, Rome, pinacothèque du Vatican.

71. Malvasia, 1678 (1841), II, p. 179.

72. Lettre du 6 janvier 1654 transcrite par Malvasia, 1678 (1841), II, p. 179.

73. Les annotations de l'Albane figurant dans son exemplaire de l'ouvrage de Scannelli ont été transcrites par Van Schaack, 1969, p. 381-386.

74. Lettre du 10 mai 1658 (Malvasia, 1678 (1841), II, p. 186-188).

75. Puglisi, 1999, p. 191-193, n° 111.

76. Dans une autre version récemment réapparue (Puglisi, 1999, n° 111.LV.f. Monaco, vente Sotheby's, 2 juillet 1993, n° 20 : bois, H. 0,90 ; L. 1,19), Perséphone a été remplacée par Europe.

77. Il servit d'ailleurs de professeur en 1643 à l'Accademia del Disegno, ou degli Indistinti, fondée en 1647 par Giovanni Francesco Negri, puis à l'académie du même nom qu'institua Ettore Ghisiglieri en 1646, dont il fut l'un des directeurs avec le Guerchin et Alessandro Tiarini.

78. Sacchi fut à son tout le maître de Carlo Maratta, et Cignani celui de Marcantonio Franceschini.

79. Bellori, 1672 (1976), p. 626. Jusqu'à sa mort, Maratta garda accroché dans son atelier le *Portrait de l'Albane* par son maître Andrea Sacchi (Madrid, Prado. Repr. ici p. 10), qui le lui avait remis.

80. En particulier dans des notes préparatoires à un traité sur la peinture qu'il entreprit au cours des années 1630 et laissa inachevé (Puglisi, 1999, p. 48-54).

81. La lettre du 28 octobre 1651 adressée par Sacchi à l'Albane et la réponse de celui-ci ont été publiées par Malvasia, 1678 (1841), II, p. 179-180.

82. Puglisi, 1999, p. 168, n°s 79.LV.b, m.

83. Piganiol de La Force, 1764, I, p. 306.

84. La Charité est généralement montrée comme une femme tenant d'une main un cœur embrasé, avec des flammes sur la tête, et des enfants autour d'elle ; la Fécon-

dité, comme une jeune femme dans un lit entourée d'enfants qui jouent, ou une femme tenant un enfant d'une main, une corne d'abondance de l'autre (Ripa, 1593 (1643), I, p. 69-71, II, p. 114). Quant à la grenade placée dans la main de la jeune femme, Ripa ne la mentionne que dans ses descriptions de la Concorde et de la Démocratie (*ibid.*, I, p. 38-39, II, p. 93).

85. Puglisi, 1999, p. 207, n° 139.

86. Puglisi, 1999, p. 210-211, n° 148. La datation vers 1640 proposée par Puglisi doit sans doute être avancée de quelques années.

87. Cocke, 1972, p. 57-58, n° 47, pl. 85.

88. Mâle, 1932, p. 257 ; Réau, II, 2, 1957, p. 278-279.

89. Pusieurs compositions de ce sujet gravées en France au xviie siècle ont été désignées sous le titre de *La Laveuse* (Puglisi, 1999, p. 210, n° 145).

90. Puglisi, 1999, p. 173, n° 86.

91. *Ibid.*, p. 174, n° 87.

92. Pour une reproduction en couleurs de ce tableau, voir Milantoni, 1995, p. 67, fig. 86.

93. Malvasia, 1678 (1841), II, p. 174 ; Malvasia, 1686 (1969), p. 103 : « *è uno de' soliti discorsivi, & eruditi pensieri dell'ingegnoso Albana, in ciò maestro d'ogna altro* ». Cet ouvrage mentionne d'autres tableaux d'autel restés en place par Giacomo Cavedone, Francesco Gessi, Giovanni Andrea Sirani, Vincenzo Spisanelli et Alessandro Tiarini. Après la suppression du couvent des Capucines en 1806, l'église, située Via delle Lame, a pris le nom d'église paroissiale des Santi Filippo e Giacomo.

94. De Brosses, 1739 (1931), I, p. 296 ; Cochin, 1758 (1991), p. 266. Le tableau ne fut pas exposé au Louvre à son arrivée à Paris et, dans sa notice des œuvres exposée, Le Brun (1798, p. 75) l'expédiait comme « du vieux temps de l'Albane, lourd de dessin, sans effet & d'une touche molle ». Après son envoi à Dijon, conservé pendant plusieurs années aux Archives départementales de la Côte-d'Or, il a longtemps été considéré comme disparu.

95. Mâle, 1932, p. 330.

96. Sur Testa, voir Copper, cat. exp. Philadelphie, 1988, p. 46-49, n° 25. Sur Poussin, voir les tableaux conservés à Dulwich, College Picture Gallery, et à Cleveland, Museum of Art.

97. Brejon de Lavergnée, 1987, p. 412. Outre les deux tableaux de l'Albane, Harlay donna également au roi une *Annonciation* d'Augustin Carrache (*fig. 18*) et une *Nativité* (Orléans, musée des Beaux-Arts) d'Annibal Carrache. Le *Jugement de Salomon* de Nicolas Poussin était mentionné en sa possession par Félibien en 1685 (*ibid.*, p. 425-426) : le marchand Hérault, qui le vendit au roi la même année, pourrait en fait avoir servi de prête-nom.

98. *La Prédication de saint Jean-Baptiste* (Matthieu, III, 1-12 ; Marc, I, 1-8 ; Luc, III, 1-18) ; *Le Baptême du Christ* (Matthieu, III, 13-17 ; Marc, I, 9-11 ; Luc, III, 21-22).

99. Loire, 1996, p. 386.

100. *Le Baptême du Christ*, autrefois Londres, collection Pope-Hennessy (Cocke, 1972, p. 49, n° 20, pl. 28) ; *La Prédication de saint Jean-Baptiste*, Madrid, fondation Thyssen-Bornemisza (Cocke, 1972, p. 45-46, n° 9, pl. 51). Ces deux tableaux n'ont toutefois pas été conçus comme des pendants.

101. Sutherland Harris, 1977, p. 88-89, n° 59, pl. 121 ; Sestieri, 1994, III, fig. 690.

102. Mignard offrit ce tableau à la paroisse où il avait été baptisé et sa mention par son biographe permet de situer son exécution avant la galerie de Saint-Cloud en 1677 (Monville, 1730, p. 101). Gravée par Nicolas Bazin et Claude Duflos, sa composition est peut-être en rapport avec celle d'une fresque sur ce sujet qu'il avait peinte pour la chapelle des fonts baptismaux de l'église Saint-Eustache à Paris (*ibid.*, p. 83). Vers 1653, il avait rendu visite à l'Albane, « un vieillard venerable, dont les jours couloient dans l'innocence et le repos », qui, s'étant « senti prévenu d'inclination pour Mignard, l'engagea à passer six semaines avec lui, & ne s'en sépara pas sans regret » (*ibid.*, p. 36). C'est peut-être à la suite de cette rencontre que Mignard rapporta d'Italie un *Baptême du Christ* du peintre bolonais qui semble avoir appartenu ensuite au Grand Condé (Puglisi, 1999, p. 150).

103. Loire, 1996, p. 50, fig. 10-11.

104. Debaisieux, 1994, p. 60-61. Pour une reproduction en couleurs, voir Tapié, 1994, p. 30.

105. Félibien, IV, 1685, p. 226. Puglisi (1999, p. 197) mentionne quinze versions de ce sujet citées dans des sources.

106. Tableau daté vers 1645-1650 par Puglisi (1999, p. 180-181, n° 95).

107. Puglisi, 1999, p. 209, n° 142.V.b. Les reproductions des deux versions sont inversées. Le cuivre de Besançon a été agrandi avant 1709, puis remis à ses dimensions d'origine. Pour une reproduction en couleurs du tableau de Besançon, voir Pinette et Soulier-François, 1992, p. 78-79.

108. Chiarini, 1988, p. 19-21, n° 1, repr. couleurs.

109. Puglisi, 1999, p. 203, n° 256.

110. *Ibid.*, p. 207-208, n° 139V.a. L'original ayant disparu, la composition est connue par une copie conservée à Londres, collection sir Denis Mahon (*ibid.*, p. 208, fig. 266). Il semble que le tableau emporté en France, aujourd'hui disparu après son envoi à l'église Saint-Roch de Paris en 1811 (Blumer, 1936, p. 249, n° 3), n'était pas l'original de l'Albane mais une copie par Pier Francesco Cittadini que Ghisilieri avait légué à son ami Giacomo Totorilli.

111. Puglisi, 1999, p. 13, 128-130, n° 39.i-v.

112. Domenico Cresti, dit Passignano (1559-1638), *L'Annonciation* ; *L'Adoration des bergers*. Lavinia Fontana (1552-1614) a peint les saints décorant les pilastres de la chapelle.

113. Pour une autre réduction de cette fresque de qualité beaucoup plus faible (Paris, musée du Louvre), voir Loire, 1996, p. 92-93. Quant à celle conservée à Washington, National Gallery, elle reviendrait à Michel II Corneille (Puglisi, 1999, p. 227).

114. Le cadre porte au revers une inscription ancienne (« Charmeton sculpteur ») qui pourrait se rapporter à Christophe Charmeton (Lyon, ?-Paris, 1708), un sculpteur sur bois installé à Paris en 1674 dont l'activité au service des Bâtiments du Roi est bien documentée (Audin et Vial, I, 1918, p. 169). Il doit correspondre à l'un de ceux pour lequel Charmeton reçut plusieurs paiements entre mai 1685 et janvier 1687 (Guiffrey, II, 1887, col. 627, 996, 1174). On peut enfin préciser que ce tableau est le premier de l'inventaire des peintures du Louvre établi sous le second Empire et toujours en vigueur : Frédéric Villot les recensait en effet selon l'ordre alphabétique des artistes, en respectant une ancienne tradition plaçant l'Ecole italienne avant les autres, et privilégiant un classement iconographique dans lequel la présence de Dieu le Père conférait naturellement à celui-ci la première place !

115. Boschetto, 1948, p. 125, 144, note 45 (« L'Albane »). Pour un récapitulatif des autres opinions, voir Loire, 1996, p. 386-388.

116. Cette dernière opinion est défendue notamment par Brogi (1990, p. 55, 63-65), qui donne le tableau de Gênes à l'Albane et classe celui de Quimper sous l'appellation « Peintre romano-bolonais, début du XVIIᵉ siècle » en évoquant à son sujet le nom de Giovanni Battista Viola pour le paysage et les types des figures secondaires. Pour Puglisi (1999, p. 104), le tableau de Gênes (T. H. 1,41 ; 0,95) pourrait également revenir à l'Albane, « aucun autre candidat issu de l'atelier romain d'Annibal ne pouvant être associé de manière convaincante à cette paire ».

117. Dresde, Gemäldegalerie (T. H. 1,385 ; L. 0,945) ; Montpellier, musée Fabre (C. H. 0,28 ; L. 0,19).

118. Paris, Louvre, Inv. 204. Loire, 1996, p. 143-145.

119. Brejon de Lavergnée, 1987, p. 216-218, n° 161.

120. Cavalli, cat. exp. Bologne, 1956, p. 245 (« Annibal Carrache ») ; Posner, 1971, II, p. 129 (« Dominiquin ? ») ; Spear, 1982, p. 318 (« Albane ? ») ; Pepper, cat. exp. Rome, 1996-1997, p. 103-104 (« Antoine Carrache »).

121. Selon Puglisi (1999, p. 107-108), l'Albane se serait inspiré vers 1605 du *Martyre de saint Etienne* sur cuivre, mais les faiblesses du tableau seraient imputables à l'« absence d'un modèle graphique d'Annibal ».

122. Le texte de cette conférence est conservé à Paris, Ecole nationale supérieure des Beaux-Arts, Ms. 141. Voir Helsdingen, 1984, p. 173.

123. Voir le texte de Félibien (1685) cité à la note 42.

124. Landon, 1803, p. 4 : « La mère tenait ses jolis enfants endormis ou suspendus sur des bandelettes, pendant que l'Albane les peignait. L'Algarde et François Duquesnoy, sculpteurs célèbres eurent souvent l'avantage de modeler d'après eux. »

125. Malvasia, 1678 (1841), II, p. 153 : « *Tale per ogni parte riuscì la moglie, che non solo seppe nella sua freschezza, con gran cortesia non mai disgiunta dal decoro, servirgli a tempo di un perfettissimo naturale, ma proverdelo abbondantemente d'altri Amorini, che di quegl' immobili del Fiammingo e dell'Algardi, che pendenti si vedono ornar le pareti a' pittori.* »

126. Haskell, 1989.

127. Alaux, *Le Poussin présenté à Louis XIII par Richelieu* ; Devéria, *Le Brun présentant ses ouvrages à Louis XIV* ; Heim, *Le Pérugin faisant le portrait de Charles VIII et Léonard de Vinci à son lit de mort* ; Badin, *Wouwermans sur son lit de mort* (n° 66) ; Charpentier, *Enfance de Pierre de Cortone* (n° 311) ; Clérian, *La Mort de Corrège, Rembrandt donnant son premier argent* et *Traits de la vie de Téniers* (n⁰ˢ 338-340) ; Granet, *Mort du Poussin* (n° 905) ; Loubon, *Salvator Rosa chez un marchand brocanteur* (n° 1298) ; Tassaert, *La Mort du Corrège* (n° 1810).

128. Bois. H. 0,29 ; L. 0,38. Georgel, cat. exp. Dijon, 1982-1983, p. 107, fig. 152.

129. Sanz et Muñoz, 1998, p. 77, repr. Les collections royales espagnoles conservent également une *Danaé* sur marbre se rattachant à cette série ; les marbres correspondant aux trois autres compositions de l'Albane n'ont pas réapparu depuis la vente des collections Borghèse, à Rome, en 1892.

130. Marillier, 1929.

131. Alcouffe, 1969.

132. *La Toilette de Vénus*, vente Paris, Hôtel Drouot, 20 décembre 1946, n° 97 (H. 3,10 ; L. 2,40) ; *La Toilette de Vénus*, vente Paris, Palais Galliéra, 1ᵉʳ avril 1974, n° 140 (H. 2,90 ; L. 4,70).

133. *Les Amours désarmés*, copies sur une tasse à glace et sur une assiette en porcelaine de Sèvres, Londres, collection royale anglaise. Bellaigue, 1986, p. 144, n⁰ˢ 65 et 241-242, n° 178, repr.

134. Vienne, Kunsthistorisches Museum. Inv. 3574. H. 0,14 ; L. 0,25. Tietze-Conrat, 1920, p. 170, n° 20, 172, fig. 108.

Bibliographie

ALCOUFFE, Daniel
« Deux manufactures de tapisserie au faubourg Saint-Antoine », *Revue de l'Art*, n° 4, 1969, p. 63-65.

ALEXANDRE, Arsène
Histoire populaire de la peinture. Ecole italienne, Paris, 1895.

AUDIN, Marius, et VIAL, Eugène
Dictionnaire des artistes et ouvriers d'art du Lyonnais, Paris, 1918-1919.

AUMALE, Henri d'Orléans, duc d'
Inventaire de tous les meubles du cardinal Mazarin dressé en 1653 et publié d'après l'original conservé dans les archives de Condé, Londres, 1861.

BACCHI, Andrea
Scultura del '600 a Roma, Milan, 1996.

BALDINUCCI, Filippo
Notizie de' professori del disegno da Cimabue in qua, Florence, 1681-1728 ; rééd., Florence, 1845-1847.

BEAULIEU, Michèle
« Quelques œuvres romaines inédites du sculpteur Pierre-Etienne Monnot conservées en France », *Bulletin de la Société de l'histoire de l'art français*, 1962 (1963), p. 33-38.

BELLAIGUE, Geoffrey de
Sèvres Porcelain in the Collection of Her Majesty the Queen. The Louis XVI service, Cambridge, 1986.

BELLORI, Giovanni Pietro
– *Nota delli musei, librerie, gallerie e ornamenti di statue, e pitture, né palazzi, nelle case, e né giardini di Roma*, Rome, 1664 ; éd. Emma Zocca, Rome, 1976.
– *Le vite de' pittori, scultori e architetti moderni*, Rome, 1672 ; éd. Evelina Borea, Turin, 1976.

BESCHERELLE, M.
Dictionnaire national ou dictionnaire universel de la langue française, Paris, 1857.

BLANC, Charles
Histoire des peintres de toutes les écoles. École bolonaise, Paris, 1874.

BLUMER, Marie-Louise
« Catalogue des peintures transportées d'Italie en France de 1796 à 1814 », *Bulletin de la Société de l'histoire de l'art français*, 1936, p. 244-348.

BONFAIT, Olivier
« L'honnêteté du savant et les plaisirs du curieux. La collection de peintures de l'abbé de Camps », Olivier Bonfait, Véronique Gérard-Powell et Philippe Sénéchal (éd.), *Curiosité. Études d'histoire de l'art en l'honneur d'Antoine Schnapper*, Paris, 1998, p. 341-353.

BOSCHETTO, Antonio
« Per la conoscenza di Francesco Albani, pittore (1578-1660) », *Proporzioni*, II, 1948, p. 109-146.

BOYER, Jean-Claude
– « Peinture italienne et négoce parisien au XVII⁰ siècle : figures du marchand de tableau », Jean-Claude Boyer (éd.), *Seicento. La peinture italienne du XVII⁰ siècle et la France (Colloque de l'Ecole du Louvre, Paris, 1988)*, Paris, 1990, p. 157-168
– (éd.), *Pierre Mignard « le Romain » (Actes du colloque du musée du Louvre, 1995)*, Paris, 1997.

BOYER D'ARGENS, Jean-Baptiste de
Réflexions critiques sur les différentes écoles de peinture, Paris, 1752.

BREJON DE LAVERGNÉE, Arnauld
– *L'inventaire Le Brun de 1683. La collection de tableaux de Louis XIV*, Paris, 1987.
– « Lettres inédites de Louvois conservées à Vincennes : le rôle de l'Académie de France à Rome et les acquisitions d'œuvres d'art », *Bulletin de la Société de l'histoire de l'art français*, 1995 (1996), p. 135-153.

BREJON DE LAVERGNÉE, Arnauld, et VOLLE, Nathalie
Musées de France. Répertoire des peintures italiennes du XVII⁰ siècle, Paris, 1988.

BROGI, Alessandro
« Il laboratorio dell'ideale : note sulla prima attività di Francesco Albani tra Bologna e Roma », *Paragone*, n° 488, 1990, p. 49-66.

BROSSES, Charles de
Lettres familières (1739-1740), éd. Y. Bezard, Paris, 1931.

CAMPORI, Giuseppe
Raccolta dei cataloghi ed inventarii inediti, Modène, 1870.

CHIARINI, Marco
Grenoble. Musée de peinture et de sculpture. Peintures italiennes, XIV⁰-XIX⁰ siècle, Grenoble, 1988.

CLARAC, comte de
Musée de sculpture antique et moderne ou description historique et graphique du Louvre [...] et de plus de 2500 statues antiques, Paris, 1826-1853.

COCHIN, Charles-Nicolas
Voyage d'Italie ou Recueil de notes sur les ouvrages de peinture et de sculpture, qu'on voit dans les principales villes d'Italie, Paris, 1758 ; éd. Christian Michel, *Le Voyage d'Italie de Charles-Nicolas Cochin (1758)*, Rome, 1991.

COCKE, Richard
Pier Francesco Mola, Oxford, 1972.

COONEY, Patrick J., et MALAFARINA, Gianfranco
L'opera completa di Annibale Carracci, Milan, 1976.

COSNAC, Jules-Gabriel de
Les Richesses du palais Mazarin, Paris, 1884.

COTTÉ, Sabine
– « L'inventaire après-décès de Louis Phélypeaux de La Vrillière », *Archives de l'Art français*, 17, 1985, p. 89-100
– « Un exemple du "goût italien" : la galerie de l'hôtel de La Vrillière à Paris », cat. exp. Paris, 1988-1989, p. 39-46.

CROPPER, Elisabeth
Victoria von Flemming et Sebastian Schütze (éd.), « Michelangelo Cerquozzi's Self-Portrait : The Real Studio and the Suffering Model », *Ars naturam adiuvans. Festschrift für Matthias Winner zum 11. Marz 1996*, Mayence, 1996, p. 401-412.

DEBAISIEUX, Françoise
Caen. Musée des Beaux-Arts. Peintures des écoles étrangères (Inventaire des collections publiques françaises), Paris, 1994.

DESPIERRES, G.
« Le château de Carrouges (Orne). Sa chapelle, ses sculptures au dix-septième siècle », *Réunion des Sociétés des Beaux-Arts des Départements*, 17, 1893, p. 237-262.

DESVERNAY, F.
Le Vieux Lyon à l'exposition internationale urbaine de 1914, Lyon, 1915.

DEVRIES, Annik
« Sébastien Errard, un amateur d'art au début du XIXᵉ siècle et ses conseillers », *Gazette des Beaux-Arts*, 1981, I, p. 78-86.

DUBOIS DE SAINT GELAIS, Louis-François
Description des tableaux du Palais Royal, Paris, 1727.

EIDELBERG, Martin,
« "Ce joli morceau". *Le Royaume de l'amour* de Watteau », *Revue de l'Art*, n° 123, 1999-1, p. 39-46.

FÉLIBIEN, André
Entretiens sur les vies et les ouvrages des plus excellens peintres anciens et modernes, Paris, 1666-1688.

FLEMMING, Victoria von
Arma amoris. Sprachbild und Bildsprache der Liebe, Mayence, 1996.

FONTENAY, L. de
Dictionnaire des artistes, Paris, 1776.

FONTENAY, Louis-Abel de Bonafous, abbé de, et COUCHÉ, Jacques
La Galerie du Palais-Royal gravée d'après les tableaux des différentes écoles qui la composent [...], sous la direction de Jacques Couché. Description historique de chaque tableau par l'abbé de Fontenay, Paris, 1786-1808.

FREZZA, Girolamo
Picturae Francisci Albani in Aede Verospia, Rome, 1704.

FUSCO, Peter
« Pierre-Etienne Monnot's inventory after death », *Antologia di Belle Arti*, n° 33-34, 1984, p. 70-78.

GABORIT, Jean-René
(éd.), *Musée du Louvre. Département des Sculptures du Moyen Age, de la Renaissance et des Temps modernes. Sculpture française. II. Renaissance et Temps Modernes*, Paris, 1998.

GILLET, Louis
La peinture. XVIIᵉ et XVIIIᵉ siècles, Paris, 1913.

GUIFFREY, Jean-Jules
Comptes des Bâtiments du Roi sous le règne de Louis XIV, Paris, 1881-1901.

HASKELL, Francis
« Les maîtres anciens dans la peinture française du XIXᵉ siècle », *De l'art et du goût. Jadis et naguère*, Paris, 1989, p. 196-249.

HELSDINGEN, H. W. van
« Summaries of two Lectures by Philippe de Champagne and Sébastien Bourdon, held at the Paris Académie in 1668 », *Simiolus*, 14, 1984, p. 163-178.

LALANDE, Joseph-Jérome de
Voyage en Italie, Paris, 1769.

LANDON, Charles-Paul
« Vie de l'Albane », *Vies et œuvres des peintres les plus célèbres de toutes les écoles. Ecole lombarde. Vie et œuvre complète de Dominique Zampieri, dit le Dominiquin*, Paris, III, 1805, p. 1-18.

LE BRUN, Jean-Baptiste-Pierre
Examen historique et critique des tableaux exposés provisoirement, venant des premier et second envois de Milan, Crémone, Parme, Plaisance, Modène, Cento, et Bologne..., Paris, 1798.

LOIRE, Stéphane
– *Le Guerchin en France*, cat. exp. Paris, 1990.
– *Musée du Louvre. Département des Peintures. Ecole italienne, XVIIᵉ siècle. 1. Bologne*, Paris, 1996.
– Compte rendu de Puglisi, 1999, *The Burlington Magazine*, 142, 2000, p. 448-449.

LUZIO, Alessandro
La galleria dei Gonzaga venduta all'Inghilterra nel 1627-1628, Milan, 1913.

MAGNUSON, Torgil
Rome in the Age of Bernini, Stockholm, 1986.

MÂLE, Emile
L'art religieux après le concile de Trente. Etude sur l'iconographie de la fin du XVIᵉ, du XVIIᵉ, du XVIIIᵉ siècle : Italie, France, Espagne, Flandres, Paris, 1932.

MALVASIA, Carlo Cesare
– *Felsina pittrice. Vite de' pittori bolognesi*, Bologne, 1678 ; rééd., Bologne, 1841.
– *Le pitture di Bologna*, Bologne, 1686 ; éd. A. Emiliani, Bologne, 1969.

MANCINI, Giulio
Considerazioni sulla pittura (vers 1617-1620) (éd. du texte par Adriana Marucchi, notes par Luigi Salerno), Rome, 1956-1957.

MARDUS, Françoise
« La galerie du Régent et la peinture du Seicento », Jean-Claude Boyer (éd.), *Seicento. La peinture italienne du XVIIᵉ siècle et la France (Colloque de l'Ecole du Louvre, Paris, 1988)*, Paris, 1990, p. 293-308.

MARILLIER, C. H.
« The *Venus and Adonis* tapestries after Albani », *The Burlington Magazine*, 54, 1929, p. 314-320.

MICHEL, Geneviève
« Giovanni Battista Mola en quête d'identité », S. Loire (éd.), *Simon Vouet (Actes du colloque international, galeries nationales du Grand Palais, 5-7 février 1991)*, Paris, 1992, p. 499-507.

MICHEL, Patrick
Mazarin, prince des collectionneurs. Les collections et l'ameublement du cardinal Mazarin (1602-1661). Histoire et analyse, Paris, 1999.

MILANTONI, Gabriello
« Francesco Albani », Emilio Negro et Massimo Pirondini (éd.), *La scuola dei Carracci. I seguaci di Annibale e Agostino*, Modène, 1995, p. 39-74.

MONTAGU, Jennifer
Roman Baroque Sculpture. The Industry of Art, New Haven-Londres, 1989.

MONVILLE, abbé Simon Mazière de
La Vie de Pierre Mignard, Paris, 1730.

PASSERI, Giovanni Battista
Le Vite de' pittori, scultori ed architetti che hanno lavorato in Roma (vers 1678), Rome, 1772 ; éd. Jacob Hess, *Die künstlerbiographien von Giovanni Battista Passeri*, Leipzig-Vienne, 1934.

PIGANIOL DE LA FORCE, Jean-Aymar
Nouvelle description des châteaux et parcs de Versailles et de Marly…, Paris, 1764 (1ʳᵉ éd., Paris, 1701).

PILES, Roger de
– *Abrégé de la vie des peintres avec des réflexions sur leurs ouvrages*, Paris, 1699
– *Cours de peinture par principes*, Paris, 1708.

PINETTE, Matthieu,
et SOULIER-FRANÇOIS, Françoise
De Bellini à Bonnard. Chefs-d'œuvre de la peinture du musée des Beaux-Arts et d'Archéologie de Besançon, Paris, 1992.

POSNER, Donald
Annibale Carracci. A Study in the Reform of Italian Painting around 1590, Londres-New York, 1971.

PUGLISI, Catherine R.
– *A Study of the Bolognese-Roman Painter Francesco Albani*, thèse de doctorat, New York University, 1983, Ann Arbor, 1983.
– *Francesco Albani*, New Haven-Londres, 1999.

RÉAU, Louis
Iconographie de l'art chrétien, Paris, 1955-1959.

RIPA, Cesare
Iconologia, Rome, 1593 ; éd. française par Jean Baudouin, *Iconologie ou les principales choses qui peuvent tomber dans la pensée touchant les Vices et les Vertus, sont représentées soubs diverses figures*, Paris, 1643.

ROETHLISBERGER, Marcel
Claude Lorrain. The paintings, New Haven, 1961.

ROSENBERG, Pierre,
et BOYER, Jean-Claude
« Dal Mola al Mollo : "tombeau" per Giovanni Battista », cat. exp. Lugano-Rome, 1989-1990, p. 134-145.

ROSENBERG, Pierre,
et BREJON DE LAVERGNÉE, Barbara
Saint-Non – Fragonard. Panopticon italiano, un diario di viaggio ritrovato. 1759-1761, Rome, 1986.

ROUCHÉS, Gabriel
« Le paysage chez les peintres de l'école bolonaise », *Gazette des Beaux-Arts*, 1921, I, p. 7-22, 119-132.

SAINT-NON, abbé de
Fragments choisis dans les peintures et les tableaux les plus intéressans des palais et des églises de l'Italie, Paris, 1770-1775.

SANDOZ, Marc
Les Lagrenée. I. Louis (Jean-François Lagrenée). 1725-1805, Paris, 1983.

SANDRART, Joachim von
Teutsche Akademie der Bau-Bild und Mahlereykünste, Nuremberg, 1672 ; éd. A.R. Peltzer, Munich, 1925.

SANZ, Maria Jesús Herrero,
et MUÑOZ, Isabel Gómez
« Puntualizaciones sobre algunas obras de Pierre-Etienne Monnot en San Idelfonso », *Reales Sitos*, 35, n° 137, 1998, p. 76-78.

SCANNELLI, Francesco
Il Microcosmo della pittura, Cesena, 1657.

SCARAMUCCIA, Luigi
Le finezze de' pennelli italiani, Pavie, 1674.

SCHNAPPER, Antoine
– *Tableaux pour le Trianon de marbre. 1688-1714*, Paris-La Haye, 1967.
– *Curieux du Grand Siècle. Collections et collectionneurs dans la France du XVIIᵉ siècle*, Paris, 1994.

SESTIERI, Giancarlo
Repertorio della pittura romana della fine del Seicento e del Settecento, Turin, 1994.

SPEAR, Richard E.
Domenichino, New Haven-Londres, 1982.

SUTHERLAND HARRIS, Ann
Andrea Sacchi, Oxford, 1977.

TAINE, Hippolyte
Voyage en Italie, Paris, 1865 ; 10ᵉ édition, Paris, 1902.

TAPIÉ, Alain
Le Musée des Beaux-Arts de Caen, Paris, 1994.

TEYSSÈDRE, Bernard
L'Histoire de l'art vue du Grand Siècle, Paris, 1964.

TIETZE-CONRAT, Erica
« Die Erfindung im relief, ein beitrag zur geschichte der Kleinkunst », *Jahrbuch der Kunsthistorischen Sammlungen im Wien*, 35, 1920, p. 99-176.

VAN SCHAACK, Eric
Francesco Albani. 1578-1660, thèse de doctorat, New York, Columbia University, Ann Arbor, 1969.

VAUDOYER, Jean-Louis
« Les collections de Le Nôtre », *Revue de l'Art Ancien et Moderne*, 24, 1913, p. 351-364.

VIARDOT, Louis
Les Musées de France. Paris. Guide et mémento de l'artiste et du voyageur, faisant suite aux Musées d'Italie, d'Espagne, d'Allemagne, […] (1ʳᵉ éd., Paris, 1855), Paris, 1860.

VITRY, Paul
« Liste des bustes d'artistes commandés pour la Grande Galerie et les salles de peinture du Louvre », *Bulletin de la Société de l'histoire de l'art français*, 1930, p. 137-141.

WALKER, Stephanie
The sculptor Pietro Stefano Monnot in Rome. 1695-1713, thèse de doctorat, New York University, Ann Arbor, 1994.

WEIGERT, Roger-Armand
Bibliothèque nationale. Département des estampes. Inventaire du fonds français. Graveurs du XVIIᵉ siècle. I, Paris, 1939.

WILDENSTEIN, Daniel
« Les tableaux italiens dans les catalogues de ventes parisiennes du XVIIIᵉ siècle », *Gazette des Beaux-Arts*, 1982, II, p. 1-48.

Expositions

BOLOGNE, 1956
Palazzo dell'Archiginnasio,
Mostra dei Carracci.

BOLOGNE, 1962
Palazzo dell'Archiginnasio,
L'Ideale classico del Seicento in Italia e la pittura di paesaggio.

BOLOGNE, 1984
Pinacoteca Nazionale,
Bologna 1584. Gli esordi dei Carracci e gli affreschi di Palazzo Fava.

CHAMBÉRY, 1995
Musée des Beaux-Arts,
Du Maniérisme au Baroque. Art d'élite et art populaire.

DIJON-LYON-RENNES, 1964-1965
Dijon, musée des Beaux-Arts ; Lyon, musée des Beaux-Arts ; Rennes, musée des Beaux-Arts,
Peinture classique du XVIIᵉ siècle français du musée du Louvre.

DIJON, 1982-1983
Musée des Beaux-Arts,
La Peinture dans la peinture (cat. par Pierre Georgel et Anne-Marie Lecoq).

DUNKERQUE, 1983-1984
Musée des Beaux-Arts,
Acquisitions, dons et restaurations (cat. par Jacques Kühnmunch).

FONTAINEBLEAU, 1998-1999
Musée national du Château,
Peintures pour un château : cinquante tableaux (XVIᵉ-XIXᵉ) des collections du château de Fontainebleau (cat. par Danièle Véron-Denise et Vincent Droguet).

KOBÉ-YOKOHAMA, 1991
Kobé, Municipal Museum ; Yokohama, Yokohama Museum of Art,
Exposition du bicentenaire du musée du Louvre.

LUGANO-ROME, 1989-1990
Lugano, Museo Cantonale d'Arte ; Rome, Musei Capitolini,
Pier Francesco Mola. 1612-1666.

PARIS, 1960
Musée du Louvre,
Exposition des 700 tableaux tirés des réserves.

PARIS, 1965
Musée du Louvre,
Le Caravage et la peinture italienne du XVIIᵉ siècle.

PARIS, 1981
Musée Rodin,
Le Faubourg Saint-Germain. La Rue de Varenne.

PARIS, 1983
Hôtel de la Monnaie,
Colbert. 1619-1983.

PARIS-NEW YORK, 1986
Paris, Grand Palais ; New York, The Metropolitan Museum of Art,
François Boucher.

PARIS-ROME, 1987
Paris, musée du Luxembourg ; Rome, Villa Médicis,
Subleyras. 1699-1749 (cat. par Pierre Rosenberg et Olivier Michel).

PARIS-NEW YORK, 1997-1998
Paris, Grand Palais ; New York, The Metropolitan Museum of Art,
Prud'hon ou le rêve du bonheur (cat. par Sylvain Laveissière).

PARIS, 1988-1989
Grand Palais,
Seicento. Le siècle de Caravage dans les collections publiques françaises.

PARIS, 1990
Musée du Louvre,
Le Guerchin en France (cat. par Stéphane Loire).

PARIS, 1999-2000
Musée du Louvre,
Dominique-Vivant Denon. L'œil de Napoléon.

PHILADELPHIE, 1988
Philadelphia Museum of Art,
Pietro Testa. 1612-1650. Prints and drawings.

ROME, 1996-1997 (1)
Palazzo Venezia,
Domenichino.

ROME, 1996-1997 (2)
Musei Capitolini,
Classicismo e natura. La lezione di Domenichino.

ROME, 2000
Palazzo delle Esposizione,
L'Idea del Bello. Viaggio per Roma nel Seicento con Giovan Pietro Bellori.

ROUEN, 1961
Musée des Beaux-Arts,
Nicolas Poussin et son temps (cat. par Pierre Rosenberg).

ROUEN, 1999-2000
Musée des Beaux-Arts,
Peintures et sculptures de faïence. Rouen XVIIIᵉ siècle (cat. par Gilles Grandjean).

TAIPEI, 1995
Musée national du Palais,
Le Paysage dans la peinture occidentale du XVIᵉ au XIXᵉ siècle. Chefs-d'œuvre du musée du Louvre.

VÉRONE, 1978
Palazzo della Gran Guardia,
La Pittura a Verona tra Sei e Settecento.

Crédits photographiques

Publication du département de l'Edition
dirigé par Béatrice Foulon

Coordination éditoriale
Laurence Posselle

Mise en page
Atelier Rosier

Relecture des textes
Philippe Bernier

Fabrication
Jacques Venelli

Les textes ont été composés en Granjon
par l'Atelier Rosier
d'après la saisie d'Annie Desvachez
et les illustrations gravées par Bussière

Cet ouvrage a été achevé d'imprimer en septembre 2000
sur papier couché mat 135 g
sur les presses de l'imprimerie S.I.O. à Fontenay-sous-Bois

Façonnage : La Française de Reliure

Dépôt légal : septembre 2000
I.S.B.N. : 2-7118-4103-0